里山資本主義

——日本経済は「安心の原理」で動く

藻谷浩介
NHK広島取材班

角川oneテーマ21

はじめに――「里山資本主義」のススメ

（NHK広島取材班・井上恭介）

なにも、便利な都会暮らしを捨て、昔ながらの田舎暮らしをしなさいというのではない。「ブータンみたいな幸せ」を押しつけようというのでもない。

ひょっとすると、生活の中身はそれほど変わらないかもしれない。しかし、本質は「革命的に」転換されるのだ。それはどういうことか。

「経済一〇〇年の常識」を破る

「経済の常識」に翻弄《ほんろう》されている人とは、たとえばこのような人だ。

もっと稼がなきゃ、もっと高い評価を得なきゃと猛烈に働いている。必然、帰って寝るだけの生活。ご飯を作ったりしている暇などない。だから全部外で買ってくる。洗濯もできず、靴下などはしょっちゅうコンビニエンスストアで新品を買っている。

ここで大事な点は、猛烈に働いている彼は、実はそれほど豊かな暮らしを送っていないということだ。もらっている給料は高いかもしれない。でも毎日モノを買う支出がボディーブローになり、手元にお金が残らない。だから彼はますますがんばる。がんばったらがんばった分だけ給料は上がるが、その分自分ですることがさらに減り、支出が増えていく。「世の中の経済」にとって、彼はありがたい存在だ。しかし、いびつな生活だ。

今の経済は、このような暮らしぶりを奨励している。「ちまちま節約するな。どんどんエネルギーや資源を使え。それを遥《はる》かに上回る収益をあげればいいのだ。規模を大きくするほど、利益は増えていく。それが『豊か』ということなのだ」と。

一〇〇年余り前にアメリカが始めたこの「常識」は、日本などの先進国に浸透し、その後発展途上国にも広がっていった。垣根のないグローバル経済の体制ができあがって、今や世界の常識となった。ところが、世界中が同じ常識で、同じ豊かさを追い求めるようになった瞬間、先進国が息切れを起こし始めた。これが今の経済状況だと言ってよい。

そこで言いたいのが、「発想の転換」である。どういうことか。冒頭の「浪費青年」のその後を、我々の取材の成果をまぶした脚色で、ご紹介することにしよう。

猛烈社員として働いていた青年。実は会社も猛烈な競争にさらされていた。ライバルは最近業績をのばす新興国の企業。同じレベルの商品をとてつもなく安く市場に出す。強さの秘密は新興国の労賃の安さだ。会社は株主から「コストをもっと抑えろ」と圧力をかけられ、「労働コスト」を見直すことにした。彼は突然リストラされた。

失意の彼は、田舎に帰った。たいした働き口もない。地元でとれる果物で完全無添加ジャムを作るジャム屋さんで働くことに。給料は以前の一〇分の一。やれやれ、とんだ貧乏暮らしが始まった……。

ところが、このジャム屋に集まってくる人たちの話を聞いて、目から鱗《うろこ》が落ちた。みんな、驚くほど豊かに暮らしているというのだ。

月に数万円払っていた電気代、ガス代。本当に払わないといけないのか、と問われた。「原始人になれというのですか」というと、笑顔でこう言われた。「そんなことをいいながら、あなたたちは休みになると、大枚はたいてキャンプ場に繰り出し、薪《まき》や炭でご飯を炊いて、喜んでいる」と。さらに、「ここは、それが毎日やれる場所。まわりに幾らでも木がはえている。それなのに、遠いアラブの国から買ってきた石油や天然ガスや、それで作った電気がないと生きられないと言っている。ばかげている」と。

青年は、試してみることにした。冷蔵庫や洗濯機は普通に使うが（洗濯を自分でする「普通の暮らし」を始めたということでもあるが）、おじさんたちに教えてもらい、石油缶を改造した「エコストーブ」なるものを作り、そこに釜《かま》や鍋《なべ》をのせて食事の支度をすることにした。

中に断熱材を入れエネルギー効率を良くしたそうで、裏山で拾ってきた雑木五本で、一日分のご飯が炊ける。光熱費は確かに減った。

近所のおばあさんがもてあましている畑を借り受け、野菜作りも始めた。なにしろ初めてなので、まだそんなに取れないが、困っていない。実は、おばあさんが野菜をわけてくれるのだ。「なすやきゅうりがなりすぎて、腐らせてしまうから、食べて」と、持ってきてくれる。おかげでスーパーに行く回数が減った。行っても野菜はほとんど買わなくなった。

財布から消えるお金が劇的に減った。給料が一〇分の一でも、全く困らない。それだけではない。食べるものが劇的においしくなった。都会では高級食材の店で買うレベルの有機野菜。数万円する「最新型炊飯ジャー」よりおいしく炊けるエコストーブのご飯があるからだ。さらに、暮らしが楽しく、人間らしくなった。都会で猛烈に働いていた頃、職場以外で話をするのはコンビニの店員くらいだった……。確かに「豊か」になった。

まんまと田舎暮らしに浸るようになった青年。しかし、これが都会でできないと解決策にならないのではないかと思い、エコストーブづくりを教えてくれたおじさんに尋ねてみた。それは簡単、という顔でこう答えてくれた。

「都会は都会で、シュレッダーごみが山ほどでるじゃないか。それを、高いお金を出して運んでは、燃やしているじゃないか」

グローバルな経済システムに組み込まれる中で、「仕方がない」とあきらめていた支出を疑い、減らしていけば、「豊かさ」を取り戻すことができる。そして経済が「我々のもの」になっていくのだ。これが、「経済一〇〇年の常識破り」の基本をなす作法だ。

発想の原点は「マネー資本主義」

私たちが「経済一〇〇年の常識」を疑い、新たな道を模索しなければと思うようになったきっかけ。それは二〇〇八年秋、アメリカの証券会社リーマンブラザーズの破綻《はたん》を引きがねに起きた、いわゆる「リーマンショック」だった。

なんとも不可思議な経済危機の本質を見ようと、私たちは「マネー資本主義」というNHKスペシャルのシリーズ制作に取りかかった。同時に、このリーマンショックを契機に、ガラス坂を滑り落ちるように業績を悪化させる自動車業界の取材も行った。

なぜ、一証券会社の破綻が世界中を危機に陥れるのか。なぜ、アメリカの金融街、ウォール街の失敗が、世界の実体経済の根幹をなす自動車産業に飛び火し、炎上させるのか。ベールに包まれたからくりの内側に入り込んで取材した私たちは、いかに我々がやくざな生き方に足を突っ込んでいったかを知り、驚愕《きょうがく》することとなった。

「やくざな経済」への転落。それは、それ以前に一〇〇年もの時間をかけて世界に広がっていった「アメリカ型資本主義」の失速と、それを延命させることに血道をあげた世界経済の牽引者《けんいん》たちの、一般人には正気とは思えない措置の、当然の帰結として説明できる。

ことの始まりは、一九七〇年代のはじめ、ニクソンショックとされる。世界中に流通する、紙っぺらでしかないドル紙幣を、いついかなるときも一定の金（GOLD）と交換できるという、アメリカが世界でダントツに豊かだった時代の仕組み。これが維持できなくなり、世界情勢の変化に応じて他国通貨との交換比率が変化する時代がはじまった。しかし、二〇世紀が終わるまでの三〇年、アメリカ経済はだらだらと下り坂を落ち続けることになる。

戦後、圧倒的な強さを誇ったアメリカ経済。その象徴が世界最大の自動車メーカーGM（ゼネラルモーターズ）である。一九六〇年代の最盛期には毎年雪だるまのように利益を増やし、いくら従業員の給料を上げてもまだお金があるので、遠い将来の待遇、つまり年金をどんどん積み上げていった。今からは想像すらできない、超ド級優良会社だったのだ。アメリカが世界に発信した「豊かさの形」は、こうした「大きくなり続ける巨人たち」、GM、電気の巨人GE（ゼネラル・エレクトリック）、化学の巨人デュポンなどの優良会社の成長によって作り出されたのである。

しかし、快進撃がいつまでも続くわけはない。バカにしていた日本車などの追い上げで競争が激化。「ドル箱」のアメリカ市場が奪われるという事態に陥った。自動車王国デトロイトに君臨した稼ぎ頭「ビッグスリー」の凋落《ちょうらく》で、アメリカ経済はおかしくなっていった。

アメリカの後退を、まじめな業績回復をあてにしないで、なんとかしようとした頭のいい人たちがいた。彼らが目をつけたものこそ、「マネー」である。せっせとものをつくり、それを売って稼ぐのではなく、お金でお金を生み出す経済が、急速にふくらんでいったのである。

リーマンショック後のアメリカで、私たちはその「やくざな経済のなれの果て」を目撃することとなる。

デトロイトのカーディーラーで見せられた新車購入者用申込書。職業も収入も尋ねない仕組みになっていた。ディーラーのおやじは語った。「その辺で空き缶を拾っている人でも、車を売った」。売っていたのは、一台七〇〇万円もするSUVという高級四輪駆動車だ。

なぜそんな人に車が売れるのか。それはローンを組ませればいいからだ。「でも、ローンを組んだら、返済しないといけないのでは？」と普通の人は聞く。そうではないのだ。ローンを返してもらう必要などないのだ。ローンは組まれたらすぐ、債権としてウォール街の金融機関にもっていかれる。いっぱい集まったローン債権は組み合わされ、「数学的加工」を施されて、金融商品が作られる（ローン債権とは、何年か後、利子の分だけ大きな金額になって戻ってくる「金融商品」。だからローンを幾つも組み合わせて作った金融商品を買っておけば、数年後に、その利子分を足した分を受け取ることができる。つまり、高利回りの金融商品だ、ということになる。ちなみにローンは、返済期日が来る前に借り換えをさせる。そうすれば永遠にこげつくことはない、ということになる。仕組みを考え出したひとりが説明してくれた)。

ウォール街の投資銀行は、その金融商品をバカバカ売る。金融商品を買いたい人はうじゃうじゃいる。少しでも元手のお金を増やしたい年金基金などが、一番のお客さんだ。

これはおかしい。もともと返済能力のない人が借りたローンなど、危なくて投資できないのではないか。実はそこにからくりがある。先ほど「数学的加工を施す」と書いた。世界中の数学の天才たちがウォール街に集まり、特殊な数学理論を駆使して、その金融商品から「貸し倒れになるリスク」を取り出し、リスクだけを集めて、それをまた金融商品にして売る(その金融商品のひとつをCDSという)、という離れ業をやっていたのだ。この技を、「金融工学」という。

取材したディレクターが、天才のひとりを撮ってきたVTRを見て、唖然《あぜん》とした。彼はパソコンの前に座り、意味不明の数式がいっぱい書かれた長いリポートを、ものすごいスピードでスクロールして読んでいた。行も文字もまったく見えないスピード。それなのに彼は、一瞬にして読み終わったあと、その中のひとつの数式について論評していた。確かに天才だった。

二一世紀に入ってしばらくの間、世界経済を牽引したアメリカの好景気は、このような天才たちが開発した、「不可思議なからくり」のおかげでまわっていたのである。

お金はないのに高級車を買えた人、車がじゃんじゃん売れてウハウハだったディーラーに自動車メーカー、ローン債権を集めて金融商品をバカバカ作って売りさばき大儲《もう》けしていたウォール街の投資銀行、そしてその金融商品に投資することで老後の資金を効率的に増やしていた年金基金。みんなハッピーだった。リーマンブラザーズという巨大証券会社がコケるまでは……。

その瞬間、「まやかし」で固められた仕組みが、逆回転を始めた。世界経済が一気におかしくなったのも、一〇〇年の歴史を誇ったGMが経営破綻に追い込まれたのも、当然の帰結だった。魔法がとけてしまったのだ。

世界は、いまもその後遺症を引きずったままだ。ギリシャからスペイン、さらにはイタリアへと、地滑り的に信用不安を拡大させるユーロ危機。日本の国で毎年積み上げられる借金も約一〇〇〇兆円に達し、そろそろ危ないといわれている。アメリカも、史上例を見ない長期の金融緩和策をとっているのに、なかなか経済が回復しない。といっている間に、そのアメリカにかわって世界経済を牽引してきた中国経済も、勢いを失いつつある。

「弱ってしまった国」がマネーの餌食になった

このような世界経済を見て、なぜ我々は今こそ「里山資本主義」ではないかと思ったのか。一言で言えば、世界中の人がグローバルなマネーの恩恵にすがるしかない仕組みは、やはりおかしいからだ。少しでも切り崩し、「かたぎの経済」に変えられないかと。

現役時代に老後の備えを積んでおく年金の仕組みは、企業が想像を絶する成長を続ける中で拡大した、と書いた。企業や、国の経済が成長している間は、それがいいやり方なのだろう。右にならえで、みんなその仕組みをまねしていく。先進的な豊かさの仕組みに追いつき、仲間入りを果たした。だが、前提となる「成長」が止まったら、どうなってしまうのか。

案の定だった。実体経済の成長が頭打ちとなり、優良会社の株を買っておけば株価が上がり、どんどん資金が増やせる時代は終わりを告げた。それでも、みんながみんな、老後の備えを年金に頼ろうとした。なんとか予定通り増やしたい。その結果、うそで固められた高利回りの金融商品に、世界中の年金マネーが殺到する事態になった。

そしてリーマンショック後の世界経済の逆回転。死にそうになったウォール街やGMなどの企業を救い、経済を立て直そうと国が財政出動をした。借金を肩代わりしたのだ。結果、何が起きたか。肩代わりして「弱ってしまった国」が、今度はマネーの猛獣の餌食《えじき》になった。それが、ユーロ危機の本質である。

ユーロの中でも一番弱かったギリシャがまず血祭りにあげられた。破綻したギリシャの国民は、財政再建のために年金を切られることになった。国がこうした決定をごり押ししようとした時、広場で抗議の自殺をしたお年寄りが出たのは、記憶に新しい。

しかし、そもそも老後を豊かに暮らすためには、みんながみんな、例外なく、年金をもらうしかないのだろうか。「晴耕雨読」でいいではないか。晴れたら畑に出て、雨が降ったら、家でのんびり。年金の仕組みなど存在しない頃に考えられた、老後の理想的な生き方である。

ここで注目すべきは「晴耕」である。この老人は、なぜ年金をもらわずに生きられるのか。簡単なことだ。お金のかかる生活をしていないから。自分で食べるものをできるだけ自分でまかなうから、買うものが少ない。現金による支出がほとんどないのだ。

そういうとすぐに、「そんなのは無理だ、今の近代的な生活を送るには、お金が絶対必要だ」という反論が返ってくる。確かに一〇〇％は無理かもしれない。しかし、今支払っているものすべて、買わないといけないのだろうか。本当にその方が合理的で効率的なのか、と問いたいのだ。

例えば、山あいの自然豊かな農村に暮らす人。ちょっと散歩をすれば、たきぎの四、五本拾うのは、それほど難しいことではない。過疎地と呼ばれる島に住む人。天気さえ良ければ、ちょっと釣り糸を垂れれば、その日の夕食を飾るアジの一匹くらい、釣れるかもしれない。

そうした恵みを享受する暮らしを、年金に頼る暮らしの「サブシステム」として組み込んでみてはどうだろうか。

今まで私たちは、そういう営みを「ちゃんとした経済」に入れてはいけないと思ってきた。または、思い込まされてきた。それに異を唱えようというのが「里山資本主義」である。

「マッチョな経済」からの解放

東京で「マネー資本主義」の番組をつくっていた頃、まだそれに異論を突きつけるだけの確かなものはつかんでいなかった。マネーは、大きな経済だけでなく、私たちの生活のすみずみにまで浸透している。マネーから決別することは、重病人が生命維持装置を外されるに等しい。逆に言えば、私たちはいつのまにか、自力で呼吸さえできない病人になってしまったということなのかもしれない。

二〇一一年三月一一日、東日本大震災が日本を襲った。いざとなったらマネーなど何の助けにもならない、そういう世の中が、突然目の前に現れた。スイッチを入れると電気が使える当たり前の暮らしも、突然ストップした。どこか遠くで大量に作られるエネルギーに頼ることが、いかに不安なことか、計画停電で真っ暗になった都会で思い知った。生きることのすべてが、自分の手の届かない大きなシステムの中に完全に組み込まれることのリスクが、一気に顕在化したといってよい。

その年の六月、私は東京から広島に転勤した。そこで、思いがけない出会いに恵まれた。田舎がかかえる永遠の課題、過疎や高齢化という暗いイメージの対極をいく「元気で陽気な田舎のおじさんたち」に出会い、目からぽろぽろと鱗を落とされたのだ。

代表選手のひとり、中国山地の山あいの広島県庄原《しょうばら》市に住む和田芳治《よしはる》さん。取材に訪れた我々のハートをぐいぐいつかんでいく。「私はね、のうなんかしょうなんですがね」というので「脳軟化症？」と聞き返すと、隣で奥さんが笑っている。「いつも、のう！　何かしよう、なんかしようって、何か始めるんですよ」ということなのだ。「のうなんかしょう」の仲間で開発し、普及させようとしているのが、裏山の木でエネルギー自活を目指す「エコストーブ」である。同志は日本中の田舎にいて、やれ麺《めん》をうった、やれおいしいきのこがとれたといっては送ってくれる。お返しをどうするか。頭をひねるうちにあるアイディアにたどりついたといって、近くの菜園に我々を引っ張っていく。カボチャがなっている。でもただのカボチャではない。くぎで傷をつけ、メッセージが浮き上がったカボチャなのだ。「ありがとう」とか「笑顔」とか、文字が浮き上がった、世界でただひとつの贈り物。ひょいと、「ＮＨＫ広島」と書いたカボチャを手渡される。まんまと仲間に引き入れられた。

我々が目標にすべき、里山資本主義の「ひとつの完成形」。その中身は、本編でしっかりご紹介するが、少しだけ言うなら、それは単にグローバルに流通する資源からの脱却を目指すというだけでなく、「鉄やコンクリートといった硬くて強いもの」を好む二〇世紀型の「マッチョな経済」の形にまで疑問を投げかける、価値観の転換さえ含んでいる。

世の中の先端は、もはや田舎の方が走っている

東日本大震災から半年たった二〇一一年の夏の終わり。NHK広島で始まった「里山資本主義」の番組作り。その推進役をお願いしたのが、全国の市町村すべてを歩いているという地域エコノミスト、藻谷浩介さんだ。

我々と藻谷さんのつきあいは、藻谷さんが書かれた『デフレの正体』（角川oneテーマ21）を読んで感動し、そこで展開される経済の常識破り、発想の転換を番組で紹介したいと申し出たことだった。番組は、震災前の二〇一一年一月一日のNHKスペシャル「2011ニッポンの生きる道」として放送した。

「ものが売れないのは景気が悪いからだ、という常識は本当ですか？」との藻谷さんの問いに、みな目を丸くした。藻谷さんが持ち出した「人口の波」のグラフ。働き盛りの人の数、「生産年齢人口」が戦後急激に拡大し、それが減少に転じたことで日本ではものが売れなくなったのだという、「目から鱗の説明」に膝《ひざ》を打った。

広島に異動し、新たな常識破りの現場を見た私は、「この話を藻谷さんとやりたい」と直感し、番組出演を打診した。

即答だった。「それこそ、私も今注目したいと思っていたことです」。震災後、日本人の中に芽生えた何か、新たな発想を目指そうとする機運を拓《ひら》いていく提案がしたい、との思いだった。

中国山地のあちこちで始まっている挑戦、その実例を見ながら考察を重ねた。マネー資本主義の対極を志す「里山資本主義」という造語も共に開発した。二〇一二年正月のNHKスペシャル「目指せ！　ニッポン復活」でも、岡山・真庭《まにわ》の製材所を中心とした試みを紹介、里山資本主義のコンセプトも披露した。

中国地方での番組はシリーズ化し、番組をひとつのプラットフォームとしながら、「草の根のネットワーク」はアメーバのように拡大している。

日本経済が停滞している根本は「景気」ではなく「人口の波」にある、と言いあてることで、我々の目から鱗をぽろりと落としてくれた藻谷さん。今度は、里山資本主義をキーワードに、どんな「鱗の存在」を言いあて、現状を認識し直して、未来への一歩を踏み出す戦略を語っていくのか。切れ味鋭い論を、ご披露いただく。

現場を追い続け、里山革命家たちと議論しながら、そのエッセンスを切り取る試行錯誤を重ねるNHK広島のテレビマン二人と、日本中を隅々まで駆けめぐり、自らの問題意識に照らして考察を突き詰める藻谷さんの共同作業として、本書は展開していく。

地方の方々には、世の中の先端を走っていると自認してきた都会より、遅れていると信じ込まされてきた田舎の方が、今やむしろ先頭を走っているという、驚きと自信を認識していただきたい。

都会の方々には、都会でも応用できる発想法として、増幅する問題や不安への、今までとは全く異なる解決策として使っていただきたい。後に詳しく述べるが、都会の最先端エネルギーシステムとして注目される「スマートシティ」。このシステムも、実は全く同じ発想を基本にしていることを、私はあるIT企業の担当者との議論で知り、大いに励まされたことがある。

人類が一〇〇年も信じてきた「常識」を打ち破る大胆不敵な提案、心躍る挑戦の旅が、今始まる。

目次

似形をしている／「里山資本主義への違和感」こそ「つくられた世論」／次世代産業の最先端と里山資本主義の志向は「驚くほど一致」している／里山資本主義が競争力をより強化する／日本企業の強みはもともと「しなやかさ」と「きめ細かさ」／スマートシティが目指す「コミュニティー復活」／「都会のスマートシティ」と「地方の里山資本主義」が「車の両輪」になる

繁栄するほど「日本経済衰退」への不安が心の奥底に溜まる／マッチョな解決に走れば副作用が出る／「日本経済衰退説」への冷静な疑念／そう簡単には日本の経済的繁栄は終わらない／ゼロ成長と衰退との混同――「日本経済ダメダメ論」の誤り①／絶対数を見ていない「国際競争力低下」論者――「日本経済ダメダメ論」の誤り②／「近経のマル経化」を象徴する「デフレ脱却」論――「日本経済ダメダメ論」の誤り③／真の構造改革は「賃上げでき

第一章　世界経済の最先端、中国山地

──原価ゼロ円からの経済再生、地域復活

（NHK広島取材班・夜久恭裕）

二一世紀の〝エネルギー革命〟は山里から始まる

東京電力・福島第一原発の事故のあと、誰もが関心を持つようになった「エネルギー」。といっても、里山資本主義が語るエネルギー問題は、「自然エネルギーに切り替えて脱原発を実現しよう」といった、よくある話ではない。二〇世紀、日本人が当たり前に持ってきたエネルギー観を根底から覆そうではないか、という話をしていきたい。

舞台は、岡山県真庭《まにわ》市。岡山市内から車で北へ向かうこと一時間半。標高一〇〇〇メートル級の山々が連なる中国山地の山あいにある町だ。ここで日本でも、いや世界でも最先端のエネルギー革命が進んでいる。

真庭市は、二〇〇五年に周囲の九つの町村が合併してできた、岡山県内でも屈指の広さを持つ。しかし、人口は五万に過ぎず、その面積の八割を山林が占めるという、典型的な山村地域だ。

「ようこそ木材のまちへ」。国道沿いの看板が、訪れる人を誇らしげに出迎えてくれる。地域を古くから支えてきたのが、林業と、切り出した木材を加工する製材業。市内を車で走れば、丸太を山盛りに積んで走るトラックと次々すれ違う。あちこちに木材を高く積み上げた集積所を見かける。

市内には大小合わせて三〇ほどの製材業者がある。どこも、数十年来出口の見えない住宅着工の低迷にあえぎながら、厳しい経営を続けている。もちろん、木材産業が厳しいのは、真庭市に限った話ではない。全国的にみれば、一九八九年に一万七〇〇〇あった製材所の数は、二〇年間右肩下がりを続け、二〇〇九年には、七〇〇〇を切っている。

それほど厳しい製材業界にあって、「発想を一八〇度転換すれば、斜陽の産業も世界の最先端に生まれ変われる」と息巻く人物が真庭市にいる。交じりけのない、真っ白でさらさらの髪がとても印象的な人物。還暦を迎えたばかりの、中島浩一郎《なかしまこういちろう》さんである。

中島さんは、住宅などの建築材を作るメーカー、銘建《めいけん》工業の代表取締役社長だ。従業員は二〇〇名ほど。年間二五万立方メートルの木材を加工。真庭市内の製材所で最大、西日本でも最大規模を誇る製材業者の一つである。

そんな中島さんが、一九九七年末、建築材だけではじり貧だと感じ、日本で先駆けて導入、完成した秘密兵器が、広大な敷地内の真ん中に鎮座する銀色の巨大な施設だ。高さは一〇メートルほど。どっしりとした円錐《えんすい》形のシルエット。てっぺんからは絶えず、水蒸気が空へと上っている。

これが今や銘建工業の経営に欠かすことができない、発電施設である。

製材所で発電？　エネルギー源は何？　この問いにピンとくる方は、かなり自然エネルギーへの関心が高い方といえる。答えは、製材の過程ででる、木くずである。専門用語では「木質バイオマス発電」と呼ばれている。

山の木は、切り倒されると、丸太の状態で工場まで運ばれてくる。工場で樹皮を剝《は》ぎ、四辺をカットした上で、かんなをかけて板材にする。その際にでるのが、樹皮や木片、かんなくずといった木くずである。その量、年間四万トン。これまでゴミとして扱われていたその木くずが、ベルトコンベアで工場中からかき集められ、炉に流し込まれる。炉の重い鉄の扉を開けてもらう。灼熱《しゃくねつ》の炎が見え、火の粉が勢いよく噴き出す。むわっと熱気で顔がひりつく。

発電所は二四時間フルタイムで働く。その仕事量、つまり出力は一時間に二〇〇〇キロワット。一般家庭でいうと、二〇〇〇世帯分。

それでも一〇〇万キロワットというとんでもない出力を誇る原子力発電所と比べると、微々たる発電量である。

こうした話になると、とりわけ震災後は「それで原子力発電がいらなくなるのか？」といった議論ばかりされるが、問題はそこではないのだ、と中島さんは語気を強める。

「原発一基が一時間でする仕事を、この工場では一ヶ月かかってやっています。しかし、大事なのは、発電量が大きいか小さいかではなくて、目の前にあるものを燃料として発電ができている、ということなんです」

会社や地域にとってどれだけ経済効果が出るかが大事、なのだ。

中島さんの工場では、使用する電気のほぼ一〇〇％をバイオマス発電によってまかなっている。つまり、電力会社からは一切電気を買っていない。それだけでも年間一億円が浮く。しかも夜間は電気をそれほど使用しないので、余る。それを電力会社に売る。年間五〇〇〇万円の収入になる。電気代が一億円節約できた上に、売電による収入が五〇〇〇万円。しめて、年間で一億五〇〇〇万円のプラスとなっている。

しかも、毎年四万トンも排出する木くずを産業廃棄物として処理すると、年間二億四〇〇〇万円かかるという。これもゼロになるわけだから、全体として、四億円も得しているのだ。

一九九七年末に完成したこの発電施設。建設には一〇億円かかった。

当時、日本はバブル崩壊後のいわゆる「失われた一〇年」に突入していた。建築用材の需要もますます低迷し、中島さんの会社は初めての赤字を経験。そんななかで銀行に持ちかけた、エコ発電所建設の話に、銀行の融資担当はあきれたという。設備投資といえば、まだまだ事業拡大に振り向けるのが常識だったからだ。

「銀行からは、電気ではなくて、たとえば生産規模を上げるための設備とか、加工度を上げる設備とか、投資先は他にいくらでもあるだろうと言われました。エネルギーなんていうものは、最優先ではないでしょう、そういう言い方でした」

ましてや、電力会社に電気を売る日が来るとは誰も想像していなかった時代だ。それでも、中島さんはなんとか銀行を説得し、発電事業に乗り出した。しかしすぐには、売電できなかった。

「買い取り価格が割に合わなかったからです。電力会社は、電気は買うとはいうのですが、一キロワット三円だというんです。あまりに安く、なぜ三円なのかと聞くと、電力会社が運転する石炭火力の発電所は燃料が一番安い。おたくの電気を買うと、使用する石炭が減る、カウントするのはその減った分だけだと言われたんです」

いったんは自家用のためだけに発電を始めた中島さん。しかし、時代はすぐに追いついた。二〇〇二年、電力会社に自然エネルギーの導入を義務づける法律が成立。これによって、逆に電力会社から売電を求められるようになり、価格は一気に利益が見込める九円に上昇。ようやく、売電にも乗り出せた。

私たちが取材に訪れた時点で、バイオマス発電導入から一四年。減価償却はとっくに終え十分すぎるくらい元を取った。でもまだまだ現役だという。木材は、石油や石炭で発電するのに比べずっと炉に優しく、メンテナンス業者が驚くほど傷みが少ないという。

こうして中島さんの会社の経営は持ち直した。時代の最後尾を走っていると思われていた製材業。しかし、再生のヒントは、すぐ目の前にあったのだ。

農林水産業の再生策を語ると、決まって「売れる商品作りをしろ」と言われる。付加価値の高い野菜を作って、高く売ることを求められる。もしくは大規模化をして、より効率よく、大量に生産することを求められる。

そこから発想を転換すべきなのだ。これまで捨てられていたものを利用する。不必要な経費、つまりマイナスをプラスに変えることによる再建策もある。それが中島さん流の、経営立て直し術だったのだ。

石油に代わる燃料がある

木くずで発電して経営を立て直そうという発想もすごいが、中島さんの驚きの挑戦はまだ

木くずから生まれるエネルギー、ペレット

まだこんなものではない。

製材工場から出る木くずは先に述べたように年間四万トン。実は、発電だけでは使い切れない。そこで思いついた使い道が、また革命的だった。かんなくずを直径六または八ミリ、長さ二センチほどの円筒状にぎゅっと固めて、燃料として販売することにしたのである。木質ペレット、もしくは単にペレットと呼ばれる。

使うには専用のボイラーやストーブが必要になるが、灯油と同じようにペレットを燃料タンクに放り込めばいいという、手軽さだ。

しかも、コストパフォーマンスがすこぶる良い。灯油とほぼ同じコストで、ほぼ同じ熱量を得ることができるそうだ。石油を中心に据えてきた、二〇世紀のエネルギーに取って代わる可能性を秘めた、二一世紀の燃料なのである。

銘建工業は、このペレットを一キロ二〇円ちょっとで販売する。顧客は全国に広がり、一部は韓国に輸出されている。特に、お膝元《ひざもと》の真庭市内では、一般家庭の暖房や農業用ハウスのボイラー燃料として、急速な広がりを見せている。

背景には、行政の強力な後押しがある。真庭市には、なんとバイオマス専門の部署、その名も「バイオマス政策課」があり、もともと民間主導で始まった取り組みを支援している。木材以外大きな産業のない町として、とことん木材で活路を見出《みいだ》していくしかないと腹をくくった。

まず公共施設が手本になろうと、地元の小学校や役場、そして温水プールなどに次々とペレットボイラーを導入。二〇一一年、美作檜《みまさかひのき》として知られる地元産のヒノキをふんだんに使った新庁舎に生まれ変わった真庭市役所では、ペレットは暖房としてだけでなく、冷房にも使われている。ボイラーで冷房、というと素人には不思議な気もするが、吸収式冷凍機という仕組みを使う。水を熱して蒸発するときに周囲から熱を奪い去るのを利用して冷房を行うそうだ。木材を燃やして暖房だけでなく冷房もできるとは、木材の可能性おそるべしである。

行政の支援はそれだけではない。そうはいってもまだ値が張るペレット専用のボイラーやストーブ。家庭や農家が買う時、補助金を出すことにしたのだ。個人宅用ストーブで最高一三万円、農業用ボイラーなら最高五〇万円。ペレットボイラーを販売する店も市内に登場した。国道を車で走っていて、「ペレットボイラー販売」という看板を見かける町が他にあるだろうか。

民間主導で始まった新しい取り組みに対し、行政が予算措置も含めて後押しする。ここが、真庭の成功を語る上で重要なポイントである。

エネルギーを外から買うとグローバル化の影響は免れない

ペレットの導入でどれだけ経済的なメリットが生み出されるのか。真庭市内で専業農家を営む、清友健二《きよともけんじ》さんを例にみていきたい。

自らを「農民」と呼ぶ清友さんは、トマトを主力にさまざまな野菜をてがける。作った農産物は大手の流通にはのせず、全てを地元の道の駅や、家族で運営する直売所などで販売している。地産地消にとにかく熱心。まさに里山資本主義の実践者である。

しかし、海外から安い農産物の流入もなければ産地間の厳しい競争もなかった江戸時代と違い、〝現代の農民〟が専業で食べていくには、たいへんな手間隙《ひま》と創意工夫が求められる。そこで清友さんが取り組むのが、トマトのハウス栽培。寒い季節でもおいしいトマトを作ることで、高い付加価値を生み出してきた。

トマトは室温が一二度を下回ると病気にかかり、ダメになってしまうときいた。農業を近代化させれば、当然熱エネルギーが大事になってくる。

「エネルギーをかけずにすむならそれに越したことはないけど、旬だけの野菜では農民は暮らしていけないんです。旬より早いときにニーズがあるものを作っていかなければ、専業では決して食べていけません」

今や私たちの生活の隅々にまで浸透したグローバル経済。いくら農産物は地産地消でも、それを作るためのエネルギーを地域の外から買っていると、グローバル化の影響は免れない。

清友さんがペレットボイラーを導入するきっかけとなったのは、二〇〇四年から世界を襲った原油価格の高騰だった。

当時、清友さんは重油式のボイラーを使っていた。しかし原油の価格は、四年間で三倍という異常な上昇を続けた。このまま燃料代が上がり続けたらどうなるのか。そんな不安にさいなまれた清友さん。試しに設定温度を一～二度下げてしまった。

結果、瞬く間にトマトに病気が広がりほぼ壊滅。経営に大打撃をこうむった。

途方に暮れていた清友さんの耳に飛び込んできたのが、地元も地元、自分の畑の目の前にある銘建工業という企業がペレットなる燃料を作っているという情報だった。

「当初は、ペレットボイラーは、重油ボイラーに比べて値段が高いので二の足を踏んでいたんですが、このままではじり貧になると思いまして」

行政の補助もあると聞き、思い切ってペレットボイラーを導入した。効果は絶大だった。一キロ二〇円というコストパフォーマンスはもちろんだが、何より燃料代が上下しないのだ。

「作付けをした後に重油の値段が上がったら、計画が立たないですから。燃料代が上がったからと言って、トマトを高く売るわけにいきません。ペレットは、この値段でずっともらえるだけで計画が立つようになりました。このくらいのお金で今月このくらい払えば大丈夫だろうと。それがありがたい」

二〇一二年、清友さんは行政の補助を受けずに、三台目のペレットボイラーを導入した。

世界的な原油価格は、商品先物市場での取引価格を重要な指標としている。その先物市場は、もともと将来的な価格の変動に影響されずに経済活動が営めるように生まれたものとされているが、今や短期の利ざやを狙った投機マネーが流入し、価格が乱高下するようになった。実際の需要を遥《はる》かに超えるマネーの出入り。それは、長期的な視点に立った堅実な農業を営もうとする清友さんたちにとってはモンスター以外の何物でもない。

実は私たちが日常生活で利用するエネルギーのうち、大半は熱利用が占めている。資源エネルギー庁が出す「エネルギー白書（二〇一二年）」によれば、二〇一〇年度の家庭部門のエネルギー利用の内訳は、動力や照明など、主に電気でまかなえるものは三四・八％なのに対し、暖房二六・八％、給湯二七・七％、厨房《ちゅうぼう》七・八％、冷房二・九％と、熱利用がほとんどを占めているのである。熱を制する者はエネルギーを、そして経済を制する。

真庭市では、銘建工業の木くずによる発電に加え、ペレットの熱利用に目を向けたことが、エネルギー自給の割合を大きく高めることに貢献した。

市の調査によると、全市で消費するエネルギーのうち実に一一％を木のエネルギーでまかなっているという。一一％と聞いて、それほど大きくないと感じる読者もいるかと思うが、日本全体における太陽光や風力も含めた自然エネルギーの割合はわずか一％。それと比較すると実に一〇倍。しかもその割合は増え続けている。

一九六〇年代まで、エネルギーはみんな山から来ていた

山の木を丸ごと使って、電気や石油など地域の外からのエネルギー供給に頼らなくても済む地域を目指す真庭市。しかしそれはつい最近まで日本人の誰もがやっていた営みを現代の技術で蘇《よみがえ》らせようとしているにすぎない、と木のエネルギー利用をリードする中島さんは指摘する。

「一九六〇年代に入るまでは、エネルギーは全部山から来ていたんです。木炭や枯れ葉も拾ってきて燃料にしていたのですから。それを、日本全体でやるというのは、無理がありますが、地域によってはエネルギーの一翼を木材が担う、ということはできると思います」

古来、日本人は山の木を利用することに長《た》けていた、と中島さんは言う。裏山から薪《まき》を切り出し、風呂《ふろ》を沸かし飯を炊く。山の炭焼き小屋で作られた木炭は、太平洋戦争後、石油や都市ガスに取って代わられるまで、重工業や都市部の一般家庭のエネルギー源としても重宝されてきた。戦時中には、民間における原油の消費を抑えるため、木炭自動車なる車まで走っていた。

山の木を徹底して活用しようという日本の知恵は、国土面積の六六％が森林という、この豊富な資源を存分に活かすなかで育《はぐく》まれてきたといってよい。

とりわけ中国山地は、その最先端の地であった。

それは、「たたら製鉄」とともに発展した。少なくとも平安時代にさかのぼることができるたたら製鉄。中国山地で豊富に採れた良質の砂鉄を原料に、鉄を精錬する。「たたら」と呼ばれるふいごを使って風を送ることからその名が付けられた。宮崎駿《はやお》監督のアニメ映画「もののけ姫」で、山の神々と戦う「タタラの民」と呼ばれる人々が営んでいるのがたたら製鉄だ。女性たちが数人がかりで、力いっぱいふいごを踏んでいたシーンを記憶している方も多いだろう。今でも島根県、出雲安来《いずもやすぎ》地方では、実際にたたらによって製鉄が行われ、日本刀など、刃金《はがね》を製造している。

このたたら製鉄では、多量の木炭を燃料として用いた。無計画に木を伐採すると、瞬く間に山ははげ山になってしまう。実際近世以前には、見るも無残なはげ山となってしまった山も多かったという。

近世以降、中国山地の山々が、たたら製鉄を中心として里山化していった歩みについては、有岡利幸《ありおかとしゆき》氏の著書『里山I』（法政大学出版局　二〇〇四年）に詳しい。

たたら製鉄は、藩から許可された「鉄師」と呼ばれる業者によって営まれた。彼らは藩有地を炭用の山として分け与えられ、森林の育成や管理を任されていた。また炭焼きのため、「焼子」と呼ばれる専業の人々を大勢抱えていたという。

たたら一か所で一年間に消費する木炭は四五〇〜七五〇トン。それだけの木炭を確保するためには、およそ四〇ヘクタールの山林を必要とした。当時、木炭には、コナラやクヌギなどの広葉樹が用いられたが、そうした木々はほどよい太さに育つまで三〇年かかったため、たたら一か所の運営に一二〇〇ヘクタールもの広大な山林が求められた。

ちなみに広葉樹は、伐採した翌年にはもう伐《き》り跡から芽吹き、再生が始まったため、炭木を伐採しても、すぐに山地は樹林で覆われていったようだ。

しかし、次第に藩から分け与えられた山林だけでは木炭が賄えなくなり、鉄師は、地元の百姓からも炭を譲り受けるようになっていった。その値段を巡ってトラブルになることもあったようだが、最終的には、百姓たちの要望も尊重しながら、絶え間なく買い入れ、集積する仕組みを作り上げた。また鉄師は、炭の輸送力を強化するため山道を整備し、百姓に馬を貸して増産も図ったという。

「江戸時代後期あたりから明治・大正期にかけて、出雲国南部地域では全域がたたらの里山化されたと表現してもさしつかえないような状況となっていた」と有岡氏は結論づけている。

このように、中国地方では太古から戦後まもない頃まで、山から得た資源を徹底して活用する知恵を絞り、山を中心にして地域の経済を成立させていたのである。

それを破壊したのが、戦後、圧倒的な物量で海の向こうから押し寄せてきた資源であった。特に石油はとても安く、便利で使いやすいため、爆発的に利用が拡大。木炭に取って代わるのにそれほど時間はかからなかった。

そこに追い打ちをかけたのが、一九六〇年に始まった木材の輸入自由化。そして、木造住宅の需要の低迷。都市型の暮らしを求める風潮の高まりを受けて、鉄筋コンクリートの集合住宅がもてはやされ、住宅の着工数は下降を続けた。

そして今、日本の山では、育ちすぎた樹木が活用されないまま放置されている。

戦後に造成された約一〇〇〇万ヘクタールの人工林のほとんどが五〇年以上経ち、伐採の適期を迎えているにもかかわらず、木材（用材）の需要は、一九七三年の一億一七五八万立方メートルをピークに長期低落を続け、二〇一一年は七二七二万立方メートル。今後も人口減少により、さらに落ちると見込まれている。

これと軌を一にして、製材業も衰退の一途をたどった。一九七〇年代をピークに、製材会社は、毎年一割という急速なペースで廃業に追い込まれ、二〇〇九年にはわずか七〇〇〇社。真庭市は、そうした木材産業の低迷と運命をともにしながら歩んできた。

二〇世紀のグローバリゼーションの進展は、自動車や鉄鋼という中央集約型の産業を主軸に据えた日本に大きな経済成長をもたらした。しかしその陰で、日本人は最も身近な資源である山の木を使うことを忘れ、山とともに生きてきた地域を瀕死《ひんし》の状態にまで追い込んできたのである。

山を中心に再びお金が回り、雇用と所得が生まれた

岡山県真庭市が進める、山の木を利用することで目指すエネルギーの自立。それは、二〇世紀の後半、グローバル化の負の側面を背負い続けて来た地方が、再び経済的な自立を勝ち取ろうとする挑戦でもある。

挑戦はまさに、「ふんだんに手に入る木材が地域の豊かさにつながっていないのはなぜか」という問いかけから始まった。きっかけは一九九三年。当時、二〇~四〇代だった地元の若手の経営者が集まって、「二十一世紀の真庭塾」という勉強会を発足した。掲げた目的

は、「縄文時代より脈々と続いてきた豊かな自然を背景とする暮らしを未来へつなげていくこと」。なんとも壮大な目標である。

当初より議論を引っ張ってきたのは、塾長を引き受けた中島さんだった。目を付けたのが、それまでゴミ扱いしていた木くずだった。

「誰かが『廃棄物をうまくリサイクルしてどうのこうの』と言ったら、いつも叱りあっていた。『廃棄物じゃない、副産物だ』って。全部価値のあるものだって、話し合ったものです。それでも当時はまだ、木くずは副産物だという感覚だったけど、今はさらに進んで、副産物ですらなくて、全部製品なんだと。まるごと木を使おうと。まるごと木を使わないと地域は生き残れないと考えたんです」

まじめに議論すれば色々とアイディアはでてくるものだ。それまで考えつかなかった新たな木くずの利用方法が次々見つかった。セメント会社が木のチップを混ぜて売り出したり、木材からバイオエタノールを作り出す実験施設を立ち上げたり。具体的に様々な事業が生まれた。

二〇一〇年には、さらなるバイオマス産業の創出を目指して、市内外の研究機関、大学および民間企業などが、地元企業とバイオマス技術の共同研究や開発を行うとともに、バイオマス関連の人材育成を図るための拠点施設を立ち上げた。瀕死にまで追い込まれていた真庭は、バイオマスの町として生まれ変わった。

新たな産業は、雇用も生む。二〇〇八年度にできた「バイオマス集積基地」。山の中に放置されてきた間伐材を、細かく砕いて燃料用のチップに加工する工場。そこに、出て行く一方だった若者たちが帰ってきた。その一人、二八歳の樋口正樹《ひぐちまさき》さんは、高校を卒業後、地元・真庭で就職先を探したものの見つからず、いったんは岡山市内に出て、大手自動車販売会社に就職していた。それが今では、クレーンを自在に操り間伐材を運ぶ。収入は減ったのかと思いきや、ボーナスで差が付くものの、月々の給与はほとんど変わらないという。そして何より、木の香りに包まれて仕事をするのが気に入った。

「働いてみるといろいろなものが面白い。汗をかいて自然の中で生きるのも、僕にはあっているのだと気づきました。木材産業なんて古くさいかと思っていたら、バイオマスって、実は時代の最先端なのだと知り、とてもやりがいを感じています」

真庭の経済が再び回り始めた。二〇世紀、グローバル化のなかで取り残されていた地方で、木材をエネルギー源と位置づけることで、地域の外から買うエネルギーが減り、様々な産業を活性化させた。地方の自立に向けた二一世紀の革命。その中心で常に走り続け、周りを引っ張ってきた中島さんは、胸をはる。

「新規の工場を誘致するとなると大変な話です。しかし、目の前にあるものを使う仕組みを作りさえすれば、経済的にも循環が起き、地域で雇用も所得も発生するんです」

二〇一三年二月、中島さんはさらに大きなプロジェクトに着手した。銘建工業や真庭市、地元の林業・製材業の組合など九団体が共同出資した新会社「真庭バイオマス発電株式会社」の設立だ。二〇一五年の稼働を目指し、出力一万キロワットの木材を燃料にする発電所を建設する。中島さんの会社の発電施設の五倍の出力。計算上、真庭市の全世帯の半分の電力をまかなえる。これまで中島さんが一人で取り組んできた発電事業に、こんなに多くの団体が参加したのは、電力買い取りをとり巻く環境が激変したことも後押ししている。かつて一キロワット三円だった買い取り価格は、原発事故後の二〇一一年八月に成立した再生可能エネルギー特別措置法により一気に跳ね上がった。製材の端材による発電であれば、一キロワット二五・二円、間伐材であればなんと三三・六円。自然エネルギーを求める国民の声に押され、電力会社も飲まざるを得なかった。

総事業費四一億円のうち、補助金などを除く二三億円分は、すぐさま大手銀行を含む三行が融資を名乗りでた。かつて、中島さんが最初の発電施設を建設したとき、融資を渋られたことを考えると隔世の感。発電所の稼働は二〇一五年四月。動き出せば、地域全体でバイオマス発電に取り組む、おそらく全国初の取り組みとなる。もっと多くの所得や雇用が、地域で回り始めることだろう。

二一世紀の新経済アイテム「エコストーブ」

真庭と並んで、私たちをとりこにした革命の舞台がある。広島県の最北部、島根や鳥取、岡山との県境の町、庄原市《しょうばら》。こちらも中国山地に懐深く抱かれた、自然豊かな山里。裏を返せば、典型的な過疎高齢化地域でもある。暮らしているのは四万人ほど。六五歳以上の人口の割合を示す高齢化率は四〇％近くにもなる。

庄原市の中でもさらに外れにある総領《そうりょう》地区に、日本人が昔から大切にしてきた里山暮らしを現代的にアレンジし、真の「豊かな暮らし」として広めようとする人物がいる。和田芳治《よしはる》さん、七〇歳。週に一回、自宅のすぐ裏にある山に登って木の枝を拾い集めるのが日課だ。最近、近所の人が所有していた裏山の一部、一ヘクタール分を買い取った。それがなんと九万円だったという。

かつて、日本人にとって山は大切な資産だった。良質な木材を産出し、薪《まき》や炭などの燃料を生んだ。一九七〇年前後には、一ヘクタールで九〇万円ほどの値段がついた時期もある。それが山の木が使われなくなって、今や一〇分の一ほどの値段で取引されているのだ。

しかし和田さんは、山の価値が下がったとは考えない。逆に無限の価値があると考える。そこにチャンスを見出していく。

「この裏山が全部燃料になるんです。それがたったの九万円ですよ。考えられます？　何年分の燃料になると思いますか？」

では、この山の木をいったいどう使うのか。和田さんは、三〇分ほどでかごいっぱいの木の枝を拾い集めると、自宅に戻る。そこに秘密兵器が待っている。

見た目は至ってシンプル。灯油を入れる高さ五〇センチほどの二〇リットルのペール缶の側面に、小さなL字形のステンレス製の煙突がつけられている。

「エコストーブ」という。

このエコストーブ、名前は「ストーブ」だが単なる暖房ではなく、煮炊きなどの調理に使えば抜群の力を発揮する。木の枝が四～五本もあれば、夫婦二人一日分のご飯が二〇分で炊けるのだ。

使い方も至って簡単。煙突の部分に、燃えやすいおがくずなどを入れて着火し、木の枝をくべる。すると二〇～三〇秒で火が燃えうつる。炎ははじめ真上に上がっているが、しばらくすると、自然と真横に向きを変え、ストーブ本体へ吹き込んでいく。燃焼エネルギーの全てを、物を温めるのに使う仕組みになっている。だから木の枝四～五本で十分なのだ。

エコストーブは手作りでき、製作費も安い。ペール缶は、ガソリンスタンドなどから廃品として譲り受けるので無料。ステンレスの煙突や断熱材となる土壌改良材は、ホームセンターで購入。しめて五〇〇〇～六〇〇〇〇円もあればよい。作り方も、もちろん教えてもらう必要があるが、女性でも一時間あれば完成する。

安くて、燃焼効率が良くて、簡単に作れるエコストーブ。和田さん宅では、毎朝これで、ご飯を炊いている。電気炊飯器は使わないので毎月の電気代は二〇〇〇円ほど節約できる。しかも炊けたご飯はぴかぴか光って旨《うま》い。訪ねて来た客が、「飯を炊いてみせや」というので食べさせたら、「しもうた」と思わず漏らしたそうだ。

「つい先日、七万円やら八万円出して電気釜《がま》を買《こ》うたのに、あれとは全然違う、こっちの方が旨い」と悔しがっていたという。

もちろん電気炊飯器の方が便利ではやい。しかし、あえてひと手間かけることが本当の暮らしの豊かさをもたらすことを、和田さんは伝えようとしている。

「毎回できが違うかもしれないと思って気を遣うこと、いろんな木をくべることも含め、不便だといわれるかもしれません。でも、それが楽しいんですね。結果、おいしいご飯。これが三倍がけ美味しいんです。こういうものを使うことによって、笑顔があふれる省エネができるんではないか」

和田さんは、このエコストーブによって、毎日の生活が楽しくなるだけでなく、放置されて久しい山を蘇らせることもできると考えている。

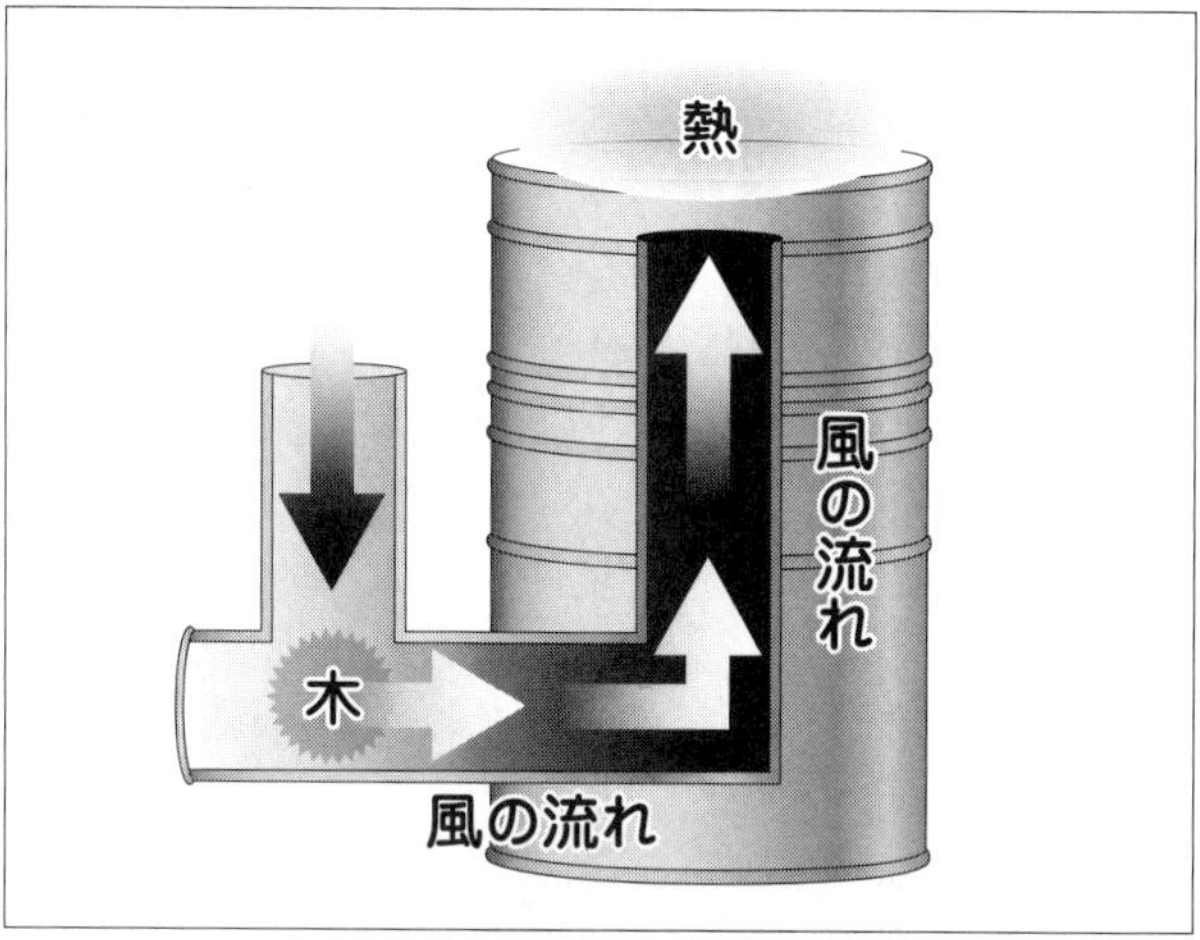

エコストーブの原理

里山の秘密兵器「エコストーブ」

山を燃料源にすれば、無尽蔵に燃料を得ることができる。山の木は一度切ってもまた生える、再生可能な資源である。切るとその分なくなると思うかもしれないが、むしろ山の木は、定期的に伐採した方が、環境は良くなっていく。

適度に間伐された山では、木と木の間にほどよい隙間ができ、日光が十分に差し込む。すると、樹木や下草が、二酸化炭素をめいっぱい吸収してくれる。生長しきった老い木は、二酸化炭素をあまり吸収しないが、成長途上の若木ならどんどん二酸化炭素を吸収し、酸素をはき出す。その量は、木々を燃料として燃やして排出される二酸化炭素よりも多いとされている。

そうした素晴らしい環境を楽しく取り戻すための道具が、エコストーブなのだ。

「里山を食い物にする」

エコストーブはもともと、一九八〇年代にアメリカで発明され、「ロケットストーブ」と呼ばれていた。和田さんがその存在を知ったのはほんの数年前のことだ。震災直前の二〇一一年の正月、庄原市内で開かれたロケットストーブを紹介する会に参加した。目から鱗《うろこ》が落ちた。

「これは面白いぞ。これを使うと山の木もたくさん使って山がきれいになる。〝里山を食い物にすることができる〟と思いました。おいしいご飯が炊けるというのは、里山暮らしを豊かにするのにすごくいい。そして、里山の人だけでなくて、みんなが欲しがるアイテムなのではないかと直感しました」

しかしロケットストーブは、子どもの背丈ほどもある大きなドラム缶をベースに、レンガを使って作られるため重く、とても持ち運ぶことはできない。そこで、仲間の一人が、ひとまわり以上小型のペール缶で同じ構造のものができないかと改良を加え、今の形ができあがった。

武器を手にした和田さんは、里山暮らしの良さをアピールする活動を加速させていった。合い言葉は、「里山を食い物にしよう」。わざと「食い物にする」という言葉を使うのが和田さんのセンスだ。過疎化で人が去り、荒れ放題となった里山。忘れられ、放置されてきた資源に再び光を当て、めいっぱい使ってやろうという決意が込められている。それはライフスタイルを戦前に戻したり、電気のある便利な暮らしを否定したりということでは決してない。そうしたものも当然使いながら、いかに財布を使わずに楽しい暮らしをするか身の回りを見直していく。するとアイディアが次々と浮かんでくる。こうして「原価ゼロ円」の暮らしを追求していくのだ。

和田さんは、朝一番には近くの小川に向かう。川にはえるクレソンをつむためだ。お好み焼きに使ったり、スープを作ったり。野草は野菜の原点である。自宅の畑で作る野菜も、農薬は使わず、刈り取った草を肥料にする。ここでも、ほとんどお金はかからない。

畑には、エコストーブと並ぶ秘密兵器がある。それは、カボチャ。カボチャは皮の表面に傷をつけておくと、一週間ほどで傷をつけた部分が浮かび上がる。それを利用してメッセージを書く。「ありがとう」とか「長生きしてね」とか。世界にひとつしかないメッセージつきのカボチャは、どんな高級品より喜ばれる贈り物となる。和田さんはこれを、色んなものをもらったお返しに贈る。「交歓具《こうかんぐ》」と呼んでいる。

「自分で作ったいぶりがっこ（燻製《くんせい》したたくあん）とか、ちくわとかチーズなんかにいれて、いろんなプレゼントをしてくださった方々に返しています。物々交換の武器です。金では計れない喜びがあるんじゃないかと思っています」

お金がないから物々交換をするのではない。楽しいからするのだ。

考えてみれば、田舎暮らしはお金をかけるより豊かなこと満載だ。サラダにする野菜は、直前まで裏の掛水に浸《つ》けておく。ひんやり冷たい湧き水は、冷蔵庫よりお金がかからず、しかも豊かだ。和田さんは、それをこんな風に解説する。

「例えば五月頃には、うるさくて寝られないカエルの大合唱とか、ウグイスのつがいが五、六組もいるような谷とか、桃源郷はこういうところかなと思います。しかし、これまでは、こういう田舎が犠牲になってきた。それは、いくら稼いでいるかという金銭的な尺度だけで物事が計られてきたからではないでしょうか。そんな田舎の犠牲の上に、都会の繁栄がもたらされている一方的な構図のままでは、日本は長続きしないのではないか。いつか、底が抜けてしまうのではないかと思います」

岡山県真庭市でも、私たちは同志を見つけた。暖房用にペレットを使い始めた宮崎浩和《みやざきひろかず》さんと八木久美子《やぎくみこ》さんの夫妻。数年前、名古屋での都会暮らしを捨てて移り住んできた。整体の仕事をしながら、家の前に一アールほどの畑を借りて、自分たちが食べる野菜は自分たちで作る。ご飯を炊くのは、エコストーブならぬ、もみ殻ストーブとも言うべき、米のもみ殻を燃料にする器具。そして、芋の皮むきは、家の前の水路で水車のように回していると三〇分ほどで皮がむける器具。そうした、電気に頼らない里山アイテムを使いこなしているのを見ていると、自分が時代遅れな生活をしているのではないかと思えてくる。久美子さんは身近にあるものを活かして、身の丈にあった生活をすることに安心を感じるのだという。

「もう一回生活を見直してみる、そういう時代なんじゃないかと思います。すごく今みんな不安に生きている。もっと恵まれた自然を活用というか、目を向けていけば、もっともっと資源がある、宝があるんじゃないかと思います」

彼らは決して文明的な暮らしを捨てているのではない。文明が忘れてきた何かを取り戻す生活をしているのである。そして、それは便利なだけの生活を送る私たちの目には、なんだか、時代の先をゆく、おしゃれな暮らしに映るのである。

何もないとは、何でもやれる可能性があるということ

とはいえ、和田さんも最初から田舎暮らしを前向きに楽しんでいたわけではない。

和田さんの父親は太平洋戦争で戦死、おじいさんも終戦の年に亡くなった。そのため、母親と祖母の三人で、山の畑を打っていかざるをえなかった事情がある。和田さんが地元の高校を卒業したのは一九六二年。東京オリンピックを二年後に控え、日本中が高度経済成長にひた走っていた時代だった。同級生五八人のうち実に五六人が、卒業するや、広島市や関西などの都会に就職。残されたのは、郵便局に勤めた友人と和田さんだけだった。和田さんが暮らす集落も一三軒あったのが四軒にまで減っていた。

「都会でなければ駄目だ、みたいな流れがずっとありました。楽に暮らせて素敵《すてき》な人生を求める気持ちがあったのだと思います。同級生たちは青春を謳歌《おうか》している。わしは山の畑で鍬《くわ》を持って耕している。一つ年下で可愛かったあの子は、今ごろ都会で輝いて歩いているだろうという考えがふと頭に浮かび、こんなことをしている自分は何なのだと思うときはありました」

染みついていた田舎の劣等感をこう振り返る。しかし、その劣等感こそが今にいたる和田さんの原動力ともなった。

「同時に、今にみとれという思いを胸に抱いていました。アンチ東京というのは、『あこがれ東京』の裏返しでもあるのですが、そういう思いが私のバネになっています。コンプレックスは持ちますが、それをバネにするタイプなのです」

田舎には田舎の、住民も気づいていない魅力があるのではないか。そんな気持ちが芽生えたのは、農業とかけ持ちで始めた、役場の町おこしの仕事がきっかけだった。地元で行政批判をしていた和田さんは、「そんなにものをいうならお前が町づくりをやれ」と企業誘致を任されることになったのだ。しかし、和田さんは企業誘致では生き残れないと感じていた。

「行政が補助金を県や国からもらうとき、広島や東京にどう言うかと言うと、『うちの町はいい町だから、何かください』ではなく、『うちの町はこんなに困っている』と言うのです。本心だったかどうかは別として、自分の町を貶《おとし》めることによって補助金をもらってくる。で、補助金で造るのは、東京や広島など、都市部にあるものの二番煎《せん》じか三番煎じばかり。私は、これではいつまでたってもビリだと思いました。逆境の地、過疎の地に武器はないかと探したとき、確かに何もない。でも何もないということは、逆に何でもやれる可能性があるんじゃないかと思ったのです」

過疎を逆手にとる

ある日、和田さんは都会の人向けにアピールできるイベントを企画しろと命じられた。何がよいか探し回ったあげく見つけたのが、それまで全く価値に気づいていなかった、ある花だった。毎年二月になると、町内のそこらじゅうに咲き、なんでもないと思っていたセツブンソウ。それが、石灰質の石がごろごろした、夏涼しく早春に光があたる場所だけに咲く、日本でも非常に珍しい品種であることを人から教えられたのだ。

そして開いた、節分草祭り。直径わずか二センチの可憐《かれん》な姿を見ようと、予想を上回る大勢の人が押し寄せ、以後、毎年恒例となった。今では西日本一の自生地として有名にもなった。この成功体験は、価値がないと思い込んでいたものが実は町作りの武器になる、東京にはないものだからこそ、東京とは違う魅力を作っていけるのだと和田さんに悟らせた。田舎は雑草に飲み込まれそうになっているというけれど、よくよく見れば、その雑草こそ、ぴかぴかの宝物だった。

里山の魅力に自信を持てるようになった和田さん。今から約三〇年前、一九八二年に立ち上げたのが、「過疎を逆手にとる会」だった。その名の通り、過疎だからこそできる町づくりを考える集い。「この指止まれ」と呼びかけた。すると、総領町だけでなく、近隣の市町村で地域づくりに取り組む人々が応《こた》えた。

「それまでは変な話、私ばかりが飛び跳ねていたので、町づくりをやろうといっても、誰もやっていないじゃないかとか、お前だけがやっているじゃないかとか言われていたんです。総領町だけでなくて、この近辺の町作りに関心がある人をみんな起こして、町づくり競争が起きれば、私がかすんで足を引っ張られることも少なくなるのではないか、という単純な思いもありました」

この言葉には、過疎地で町おこしをしていくことの難しさを感じる。昔ながらの保守的な風潮が強い田舎では、目立つ行動に対するやっかみも多いのだ。しかし、和田さんは、そうしたやっかみすらもエネルギーに変えていった。

「時代的には僕たちはあくまで傍流の位置にいるんです。主流はやっぱり都市なんですね。しかし、傍流、逆境が私のエネルギーです」

そのような経験によってなのか、生来なのか、和田さんは、どんなネガティブな言葉も前向きに解釈し、いいように作りかえる。田舎暮らしをマイナスのイメージで捉《とら》えるのではなく、楽しいものだと考えるための言葉遊びだ。

そんな和田語録をいくつか。

和田さんは、年をとった人々を「高齢者」とは呼ばない。「光齢者」と呼ぶ。人生いっぱい経験して、「輝ける年齢に達した人」たちである。「田舎には、高齢者しかいない」というと、「役に立たない人ばかり」というイメージになるが、「光齢者が多い」と言えば、生きる名人がたくさんいるのだと考えられる。情けないことなど、何一つないのである。

省エネも「笑エネ」と書く。つまり、笑うエネルギー。省エネという言葉には、どうしても我慢するというイメージがつきまとう。これでは長続きしない。楽しくエネルギーを使おうではないか。エコストーブを使えば、みんなで笑いながら火をおこすことができる。笑エネが出ると、体だけではなく心も温まる。

そして里山暮らしの仲間は「志民」と呼ぶ。「市民」ではなくて、「志を持った人々」。それは、明治維新で活躍した志士たちのような、行政や政治任せにするのではなくて、人のため、地域のため、社会のために自分で動ける人々。持てる物、出せる物を喜んで出して、喜んで汗を流せる人々。笑顔がある人は笑顔、汗が流せる人は汗、知恵がある人は知恵、そしてお金がある人はお金。そうした志民が提供する力は、「第三の志民税」。直接税、間接税に並ぶ、お金ではない大きな力。それが里山を活性化させる。

「こんな志民運動を、過疎を逆手にとる会などでやっています。もちろん政治が悪い、親が悪いということはどの時代でもあります。それでも、自分の人生は自分で作ろうと思ったほうが幸せになれる可能性が高いんじゃないかと思って、志民になろうと呼びかけています」

「豊かな暮らし」をみせびらかす道具を手に入れた

近所の川、田総《たぶさ》川に、外来魚のブルーギルやブラックバスが増えていると聞けば、「普通は不味《まず》くて食べられないと言うが、ひとつ、じっくり調理しておいしく食べようじゃないか」と、地元の漁協や小中学生と協力して「田総川を丸ごと食べる会」を開く。猪や鹿が麓《ふもと》の畑を荒らすと聞けば、そうした害獣を使った新しい鍋を考案し、創作鍋のコンテストに出場する。

逆転の発想で捉えれば、役に立たないと思っていたものも宝物となり、何もないと思っていた地域は、宝物があふれる場所となる。そんな里山暮らしの楽しさを訴える活動を続けてきた和田さんと仲間たち。

「なぜ楽しさばかり言うかというと、楽しくなければ定住してもらえないだろうと思っているからです。金を稼ぐという話になると、どうしても都会には勝てない。でも、金を使わなくても豊かな暮らしができるとなると、里山のほうが、地方のほうが面白いのではないかと私たちは思っています」

三〇年という歳月を経て、和田哲学への共感はじわじわと、確実に広がっている。今では和田さんの仲間は、北海道から九州・沖縄まで、津々浦々にいて、アイディアを交換しながら、里山暮らしをどんどん進化させている。

しかし、都市部の人々を惹《ひ》きつけるのには、何か決定打がない。そう感じ始めていた二〇一一年初頭、出会ったのが、エコストーブだった。

「どちらかというと今まではイベントなんかを通して里山暮らしの楽しさを伝えていた。今度は道具ですから。これを手に入れたことによって、みんなに呼びかける『言い道具』ができたなと思っています」

以来、和田さんたちは、各地で「エコストーブ講習会」を開くようになった。みんなでワイワイ言いながらストーブを作り、火を囲みながらご飯を炊く。参加した誰もが、エコストーブの高性能に驚き、炊いたご飯のおいしさに二度びっくりする。

そうしたなかで発生した東日本大震災。大都市で電気の供給が止まり、物流が止まり、コンビニからありとあらゆる商品が消えた。これまで当たり前に感じていた何もかもが、実は当たり前でなかったことに気づかされた。

エコストーブ講習会を開いてくれという依頼も増えたし、参加者も増えた。多い日には五〇人も参加するようになった。被災地・岩手県からもエコストーブの作り方を教えて欲しいという依頼が届いている。「便利さばかりを追求してきた日本人が変わり始めている」と和田さんは自信を深めている。

「興味をもってくれる人が増えています。これまでも『里山暮らし最高』と叫んできたけれど、なかなかピンときてもらえなかった。しかし、大震災などを契機に、都市での電気頼り、電気使い放題の足元がない生き方、食べ物を手に入れることができない暮らしは本当に良いのだろうかと思ってくださる方が、少し出たのではないかと思いますね。『金が一番』から、『金より大切なものがある』に変わったとき、エコストーブはいい道具になるのではないかと思っているのです」

とは言っても、和田さんは、エコストーブがあれば、原発を止められると考えているわけではない。

「『エコストーブを作ったくらいで原発が止まるの？』という言い方をする人がいます。特にマスコミで取り上げられたりして、僕たちが大々的にやればやるほど、そういうことをいう人がいます。かつての私なら『できる』と言っていたかもしれませんが、このごろは『できません』と答えるようになりました。でも、楽しみながら『笑エネ』、笑いのエネルギーを生み出してくれる力がエコストーブにはあると思います」

将来の子どもにツケを残すことのないようにする。それが和田さんのこれからの目標だ。

原発を止めることはできなくても、里山では電気使い放題でない暮らしができる。そういう価値に気づいていくことが、二一世紀の里山暮らしなのである。

「町ではどうしても電気使い放題をやらなければいけないけれども、田舎ではある程度、自分でエネルギーを確保することができる。そういう生活におもしろさを感じてくださる方が、もう一度里山に帰ってきてくれると里山はきれいになるし、町は元気になると思います。地方が元気でなかったら、最終的には都市も元気になりませんよ。商工業が発達しても、買い手の農民が周りにいなければダメだし、経営者が儲けても、消費してくれる国民が豊かでなければ、その経済は保証できないんです」

夕暮れを迎えると、和田さんがかつての牛小屋を改造した「里山暮らしの拠点」に次々と仲間が集まってくる。そうしたら囲炉裏《いろり》を囲んで宴会だ。もちろんエコストーブの上には、ピカピカのご飯が炊ける釜。川で採れたカワニナの味噌汁《みそしる》。山菜たっぷりのピザが並ぶ。

そうそう、和田さんには言葉遊びに勝るとも劣らない特技がある。それは歌。自分で作詞作曲してしまうのだから舌を巻く。そんな和田さんによる、里山暮らしを賛美するバリトンの歌声が、今夜も山里の小屋に響きわたる。

「♪あなたの汗に乾杯！　あなたの笑顔に乾杯！　声を合わせて、心一つに、かんぱ～い！」

楽しい乾杯のあと、笑い声の絶えない宴の席で、和田さんはきょうも自らの根本をなす持論を語る。

「息子やむすめたちに、努力に努力を重ねてふるさとを捨てさせるのは、もうやめにしたい。田舎に残った自分はだめだから、自分のようにならないで欲しいという自己否定は終わりにしたい。そうではない時代が、幕を開けつつあるのだから」

第二章　二一世紀先進国はオーストリア

――ユーロ危機と無縁だった国の秘密

（NHK広島取材班・夜久恭裕）

知られざる超優良国家

二〇〇九年一〇月、ギリシャで巨額の財政赤字が発覚したことが引き金となって始まったユーロ危機。イタリア、スペインに飛び火し、ヨーロッパ中が大混乱に陥った。

そうした中、いや、そうした中だからこそ、ありあまったマネーはヨーロッパに向かった。ヘッジファンドたちは一斉に、CDSと呼ばれる国債に連動する金融商品を買いあさった。「市場の評価」という大義名分を掲げ、ギリシャやイタリアなどの国債を売り浴びせ、国債を暴落（金利は上昇）させた。これによって、各国では、緊縮財政を余儀なくされ、高い失業率にあえぐ庶民をよりいっそうの苦しみへ追いやった。当のヘッジファンドたちは、そうした状況を尻目《しりめ》に、高級ワインで祝杯をあげているのである。マネーのモンスターはとうとう国家の価値すらも食い物とし始めた。

マネーの嵐が吹きすさぶヨーロッパのど真ん中に、その影響を最小限に食い止めている国がある。それがオーストリアだ。

オーストリアと言われて何を思い浮かべるだろうか。モーツァルトやシューベルトを生んだ音楽の国？　ザッハトルテに代表されるチョコレートの国？　いやいや、実はそれだけではないのである。経済の世界でも、オーストリアは実に安定した健康優良国なのだ。

それは数々の指標が物語っている。ジェトロが公表しているデータ（二〇一一）によれば、失業率は、ＥＵ加盟国中最低の四・二％、一人当たりの名目ＧＤＰ（国内総生産）は四万九六八八米ドルで世界一一位（日本は一七位）。対内直接投資額は、二〇一一年に前年比三・二倍の一〇一億六三〇〇万ユーロ、対外直接投資額も三・八倍の二一九億五〇〇〇万ユーロと、対内・対外ともにリーマンショック直前の水準まで回復した。

では、なぜ人口一〇〇〇万に満たない小さな国・オーストリアの経済がこれほどまでに安定しているのか？　その秘密こそ、里山資本主義なのだ。

オーストリアは、前章にみた岡山県真庭《まにわ》市のように、木を徹底活用して経済の自立を目指す取り組みを、国をあげて行っているのである。

国土はちょうど北海道と同じくらいの大きさで、森林面積でいうと、日本の約一五％にすぎないが、日本全国で一年間に生産する量よりも多少多いぐらいの丸太を生産している。知られざる森林先進国・オーストリアの秘密を探っていこう。

オーストリアの人々は、最も身近な資源である木を大切にして暮らしている。昔ながらの里山の暮らしが見られると、オーストリア北部の村・ラムザウを訪ねた。アルプスの山々の麓《ふもと》に、チロル風の伝統建築がぽつりぽつりと並ぶ、牧歌的な風景。ほとんどの家庭が、冬場のスキー客を目当てにペンションを営みながら、牛を飼い、羊を育てる生活を送っている。

どの家にも、軒先には薪《まき》が積み上がり、料理も、暖房も、薪を使って火をおこす。

「薪のオーブンで肉料理を作るととってもおいしいの」。奥さんは自慢げだ。

週に一回、昔の木こり小屋に仲間を集め、ヨーデルを歌いながら、木こりの朝食を食べるご老人。庄原《しょうばら》の和田さんをオーストリアで見つけた気分だった。

昔も今も変わらぬ暮らしが続いているのだと感心していると、意外な話が飛び出した。

「こうした暮らしを再発見したのはほんの数年前ですよ。オーストリアでも一〇年前までは、ガスや石油が主力のエネルギーでした」

冬に備えて所有する林の木を切り倒し、薪にしていた男性。高く積み上がった薪の山を前に誇らしげに語った。

「これだけあればエネルギー危機が起きても安心です」

林業が最先端の産業に生まれ変わっている

四年に一度、このオーストリアの山里に、世界中から視察団が訪れる。世界最大規模の林業機械の展示会「オーストロフォーマ（austrofoma）」が開かれるからだ。展示会といっても、日本の幕張《まくはり》メッセや有明《ありあけ》コロシアムで開かれるのとは規模が違う。一つの山を丸ごと展示場として利用する。オーストリアが誇る、木の資源を活用するための最先端の技術がずらりと並ぶ。二〇一一年、私たちが取材に訪れたときも、日本からも一〇〇人規模で木材産業関係者が訪れていた。

ヨーロッパでは、スウェーデンやフィンランドといった北欧でも林業が盛んだが、これらの国々では平地にある森で営まれるため、険しい山を持つ日本にとっては、その技術は参考にしづらい。しかし、アルプスを抱えるオーストリアの山々は日本と同じように切り立っていて、そこで培われた技術は、日本にも導入しやすいそうである。

オーストロフォーマには、およそ一〇〇社が出展しており、日本では決して見ることができない最新鋭の機械が実際に作業の様子を見せながら、その能力を披露する。

タワーヤーダーと呼ばれる、ロープを張って山の上から大量の木材を一度に下ろすことができる最新の機械や、木材を次々とチップに加工するチッパーと呼ばれる機械など、丸二日かけて、へとへとになりながらも山を歩き回るうち、オーストリアで新しい機械や技術がどんどん開発され、日本人が知らないうちに林業が最先端の産業に生まれ変わっていることを思い知らされる。

久しく斜陽産業とみなされてきた、日本の林業関係者たちは、一様にため息をついていた。

里山資本主義を最新技術が支える

次に訪れたのは、オーストリア屈指の製材所「マイヤーメルンホフ」社。オーストリア第二の都市グラーツ郊外のレオーベンという町に所在する。約三万ヘクタールの森林を所有し、年間一三〇万立方メートルもの木材を供給する。日本では、一〇万立方メートルを超えれば大手とみなされるのに対し、実に一三倍の規模だ。この会社では、山から木を切り倒すところから、加工、そしてバイオマス利用まで幅広く手がける。人口二万五〇〇〇という小さな町の経済をがっちり支えているのである。ちなみに、レオーベンでは、ゲッサービールというオーストリアで最も人気ある地ビールが製造されているが、その熱源は、マイヤーメルン

ペレットを個人宅に供給するタンクローリー

ホフ社がバイオマス発電する際にでる熱水をパイプラインでつないで利用しているという。

「マイヤーメルンホフ」の売りは、製材規模や発電施設もさることながら、あの真庭でも利用が進んでいるペレットを、町全体で活用するシステムだった。

面白いものが見られると案内されたのは、敷地の一角にあるヨーロッパ有数のペレット工場。年間、六万トンが生産されるという。

しかし、彼らが見せたかったのは工場そのものではなく、施設に横付けされていたタンクローリーだった。運ぶのはもちろん石油ではなく、ペレット。しかも、個人宅に配送しているという。ペレットは小さくて軽いので、さながらガソリンのように運搬することができるのだ。

こうなったら実際にペレットを利用している

お宅も見たくなる。お願いして、この日の配達先の一軒にお邪魔することができた。快く受け入れてくれたのはペーター・プレムさん。四年前に家を新築したのを機にペレットボイラーを導入した。到着したタンクローリーは、二本のホースをプレムさん宅の貯蔵庫につなぐ。「よーく、見てな!」運転手の呼びかけと同時に、機械が駆動、一方のホースを通って、勢いよくペレットが貯蔵庫に流し込まれた。その傍ら、もう一本のホースが、貯蔵庫からペレットの燃えかすを勢い良く吸い上げていた。

私たちが唖然《あぜん》としていると、気をよくしたプレムさんが家の地下へと招き入れてくれた。そこに鎮座していたのは人の背丈ほどもある四角い機械。これがペレットボイラーだった。そして、なんと先ほど見たペレット貯蔵庫から地下のボイラーまで、機械制御による全自動でペレットが必要な分だけ供給される仕組みだというのである。さらにボイラーで沸かされたお湯は、家全体に張り巡らせたパイプによって、各部屋に送り込まれ、床暖房や給湯に使われる。つまり、住人はペレットに全く触れることなく、スイッチ一つで利用できるしかけなのだ。

プレムさんによれば、一シーズンに購入するペレットは五トン。一トン当たり二一九ユーロなので、しめて約一一〇〇ユーロ(約一三万円。執筆時のレートによる)。これで、延べ三〇〇平方メートル分の暖房と給湯をまかなっている。以前は電気を利用していたが、費用はほとんど変わらないそうだ。地元の木材を利用することに魅力を感じてペレットを導入したプレムさん。「なにより、灯油のような臭いが全くしないのがいいよ」と笑ってみせた。

合い言葉は「打倒！　化石燃料」

ペレットを快適に利用する、オートメーションシステムができあがっていたオーストリア。続いて、ボイラーメーカーを訪ねた私たちを待っていたのは、何が何でも化石燃料に取って代わってやろうという、気迫の現場だった。

ここは、世界遺産に登録された街・ザルツブルク。その一五キロ郊外にある、ヴィントハーガーという会社。

玄関にずらり並んでいたのは、白を基調としつつも赤や青、グレーとのバイカラーがハイセンスなボイラーたち。ヴィントハーガー社が作るペレットボイラーは、リビングに置いても無粋でない美しいデザインが特徴だ。日本でも有名な、オフロードバイクのメーカーがデザインを手がけている。目をひくのは、前面に取り付けられたガラス窓。そこからはペレットがぱちぱち燃える様子を見ることができる。暖炉があった頃の記憶が今も刻み込まれているオーストリアの人々。こうして炎が見えることが安らぎにつながるのだという。

しかし、肝心なのはその心臓部。

燃焼機関の開発ルームでは、二〇名ほどの技術者たちが、モニターに映し出されたCAD画像を見ながら、活発に議論していた。みな、オーストリアの片隅から、世界最先端の技術を生みだそうという気概に溢《あふ》れていた。

チーフエンジニアの男性が「企業秘密なんだけど」と前置きしつつも、その驚きのテクノロジーを解説してくれた。この会社では一九九八年からペレットボイラーの開発に着手した。以来、力を入れてきたのは、燃焼効率の向上と排ガスの抑制だという。

ペレットボイラーは、木を熱して出る炭化水素と酸素を混合させて燃焼させる。その燃焼温度がポイント。高すぎても低すぎてもいけない。そのため酸素を混ぜるタイミングを一次、二次と二段階に分けたり、炭化水素と酸素の混合割合を調整したり、試行錯誤を重ねた。これによって、排出される一酸化炭素や炭化水素も極限まで減らすことに成功した。

こだわりは、ペレットが燃え尽きたあとに排出される灰をとことん減らすことにも振り向けられた。

客がどんな材質のペレットを使っても柔軟に対応できるように技術者たちは何年もかけて、森にある樹木や廃材など、いろいろな木の種類を調べることから始めたという。その結果、どんな燃料なのか自動で判断する技術が完成、灰を〇・五%以上出さないようにすることに成功した。

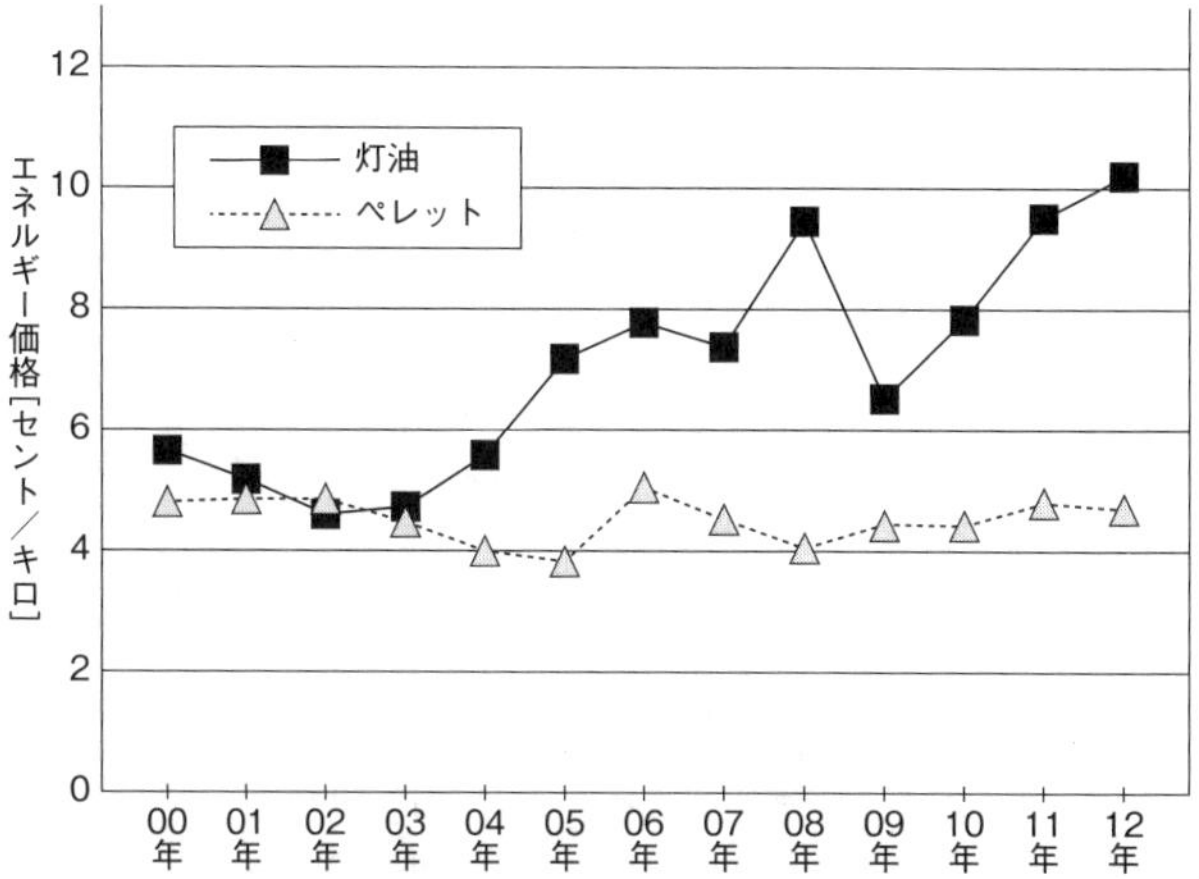

［資料提供］ヴィントハーガー社

灯油とペレットの年間平均価格

「私が入社した三〇年前、会社では薪ストーブを作っていましたが、その燃焼効率は、六〇％程度でした。それが、今では、九二～九三％という極めて高い燃焼効率の実現に成功しました」

今や、ペレットボイラーは、石油を上回るコストパフォーマンスを実現したという。

燃焼効率が向上したことで、灯油一リットル分の熱量は、二キログラムのペレットで得られる。これを値段で比較するとどうなるか。私たちが取材した時点で、灯油一リットルはおよそ八〇セント。これに対し、同じ熱量分のペレットは、半分のおよそ四〇セント。つまり、ペレットは石油の倍のコストパフォーマンスを発揮できるのである。しかも、この差は、近年の原油高によってさらに開きつつある。

もちろん、燃料代だけを比較するのは不公平だ。残念ながら、ペレットボイラー本体は、油を使うボイラーよりまだまだ高額だ。ヴィントハーガー社の標準的なボイラー一台の値段は、一万ユーロ（執筆時のレートで、日本円でおよそ一二七万円もするが、これ一台で、全ての部屋の暖房と給湯がまかなえる）。石油ボイラーとの価格差は、三〇〇〇〜四〇〇〇ユーロある。しかし、その差がなくなるのも時間の問題だというのが、ヴィントハーガー社の見立てだ。オーストリアではペレットボイラーに対し大幅な助成を行っているのを追い風に、メーカー各社がボイラーの低価格化に全力を傾けている。もうあと数年もすれば、本体の価格は全く問題にならなくなると技術者は胸を張った。

実際、オーストリア国内のボイラーのシェアでもその兆候は見て取れる。

一〇年前、石油ボイラーの販売は年間およそ三万五〇〇〇台。ペレットボイラーはほとんどなかった。今も、ペレットボイラーの販売は年間一万台弱だが、ヴィントハーガー社では、五年後には、これを年間三万五〇〇〇台にまで押し上げる目標を掲げている。

そして、オーストリアを含む西ヨーロッパ全体に目を向けると、四〇〇万台の暖房器具があり、そのうちバイオマスボイラーはまだ一〇万台にすぎない。

ヴィントハーガー社は、今後一〇年の間に、これが五〇万台、一〇〇万台に増えると確信しているという。

「燃焼効率という点では、改善の余地がないほど技術は完成しつつあるので、今後は誰もがボイラーを買える値段にしようとあらゆる努力を重ねています。ペレット業界はとっくにヨチヨチ歩きの段階は終わっているのです。いずれ間違いなく、エネルギー供給の重要な柱となるでしょう」

完璧なものを作ろうとする技術者たちの熱い思い。オーストリアは、もともと、世界的に高い技術力を誇るドイツ自動車の部品製造などで発展してきた国である。従って、基礎的な技術レベルは非常に高い。ペレットボイラーは、ヨーロッパでドイツ人の次にきまじめと言われる、オーストリア人の気質の産物なのである。

かえり見れば日本人ももちろん、こつこつと技術を磨くことにかけては世界トップクラス。その物づくりの精神こそが世界第二位の経済大国に押し上げた。

他のどこの国もやっているような大量生産・大量消費型の技術ではなく、一足先に、身近な資源を活《い》かす技術を極めつつあるオーストリア。日本も彼らと同じ道を歩むという選択肢もあるのではないだろうか。

独自技術は多くの雇用も生む

オーストリアがペレットボイラーの技術革新にこれほど力を入れるのはどのような背景があるのか。ヴィントハーガー社で一五年前からボイラーの開発に携わり、今は開発部長を務める、ヨーゼフ・ゴイギンガー氏にその哲学を聞いた。

そこには、岡山県真庭市が追求してきた、外部への資源依存を断ち切ることで実現する里山資本主義の将来像があった。

「基本的にオーストリアは小国です。しかし、独創的な人材は豊富で、多くの中小企業は、どうやったら大量生産型市場から脱却できるか知恵を絞ってきました。

背景の一つに、既に九〇年代に石油(ビッグオイル)もガスもいずれ枯渇すると考えられていたことがあります」

日本と同じく地下資源に乏しいオーストリア。原油を中東諸国に、天然ガスをロシアからのパイプラインによる供給に依存してきた。そのため、国際情勢が不安定化するたびに、エネルギー危機に見舞われてきた。元栓を外国に握られる恐怖を身にしみて知っているのである。

「石油やガスのことを考えると、これまで供給してきた東欧のパイプラインが今後も大丈夫か、中東情勢が今のまま続くか、そもそも原油がいつまで採掘できるのか分からない。好むと好まざるとにかかわらず、化石燃料以後の時代を考えて準備しなければなりません。我が社は、こうした状況をビッグチャンスと捉《とら》えました。将来的にエネルギーはどういう形であれ今より安くなるとは思えません。オーストリア人には、中東の首長国からタンカーで運んでくる原油より、身近な資源の方が信頼できるのです」

石油やガスをペレットに置き換えることで、安心・安全を守れると考えたのだ。

「都合のいいことに、ザルツブルク周辺の、ここから一〇キロメートルほど離れたところに既にペレット製造機会社があったのです。これが、完全自動運転の暖房を開発してみようという動機につながりました。ペレットの原料も周辺地域でまかなえます。おがくずは、農家や製材所や家具の製作所から手に入ります。まさに持続可能な供給チェーンがあるのです。この持続可能性という言葉が大きな原動力です」

労働市場でも、ペレットは、ガスや原油にはない、大きな可能性を生み出した。そもそも原油や天然ガスの輸入ばかりしていては、雇用はほとんど増えない。

ペレットやそれを利用したボイラーの生産技術は、オーストリアが他国の二歩も三歩も先を進んでいる。他国にはない産業を育てれば、当然、関連技術も自前で育てることになり、労働需要が高まる。

たとえば、ボイラーのバーナー。オーストリアにはペレットボイラーメーカーが六、七社あるが、いずれもかつては石油用やガス用のバーナーを流用していたという。しかし、燃焼効率を追求するなかで、専用のバーナーが開発されていった。いまでは、全てのバーナーはオーストリア国内で生産されている。結果、多くの人が新たな仕事にありつけた。

ペレットを製造する機械も同じ。ペレットは一見、簡単に作れるように思えるが、実際は非常に複雑なプロセスで作られている。木材を圧縮し、さまざまに手を加え、乾燥させ、さらに圧縮して、厳格な規格に合うよう仕上げなければならない。

オーストリアには世界中にペレット製造装置を売っている大きな会社がいくつもあり、年間一〇万トンから三〇万トンのペレット生産を支えている。これによってザルツブルクだけでなく、オーストリア全体で多くの雇用が生まれているのである。

森林の育成・伐採から、ペレットへの加工、付随する機械の開発・生産、さらには煙突掃除などのアフターケアに至るまで。ペレット産業の裾野《すその》が広がれば広がるほど、うなぎ登りで労働市場が生み出されていったのである。

最後に、ヴィントハーガー社の開発部長・ヨーゼフ・ゴイギンガー氏は、世界に先んじてバイオマスの世界を突き進むことは、後の世代への責任だと言い切った。

「我々が望むか、望まないかということではないのです。二〇年後、三〇年後、あるいは五〇年後に化石燃料があるかどうか議論しても何の意味もありません。再生可能エネルギーを利用するのがあまりにも遅すぎたと、我々のことを呪う世代がいつか出てくるのは間違いないと、私は個人的に確信しています。

再生可能エネルギーのために働くことは、負担ではなく、むしろ雇用を生み出す大きなチャンスです。オーストリアでは既に技術が開発されており、世界中でこの技術をマスターした人が求められています。僅《わず》かな人だけが恩恵に与《あずか》れる化石燃料にしがみついているのとは、全く逆の状況です。五〇〇〇年後に、私たちの子孫は二一世紀の人間を良心に従って行動したと評価してくれるでしょう。そうしなければ、無気力な人間たちだったと一〇〇〇年後の歴史教科書に載ってしまうでしょう。私たちは今あるチャンスを無駄にしてはなりません。勇気と先見性を持たなければなりません。これは大いなる挑戦ですが、チャンスなのです」

林業は「持続可能な豊かさ」を守る術

一方で、当然浮かんでくる疑問がある。それだけ山の木を切っているなら、オーストリアはさぞかし森林破壊が進んでいるのではないか？

特に日本では、一九七〇〜八〇年代、急激な経済成長に伴って大量の木材を必要とし、東南アジアや南アメリカから大量の木材を輸入。現地の森林を次々破壊したことが社会問題化した。だから今でも、山の木を切ることは、森林破壊につながると連想する人も多い。

ところが、日本人に負けず劣らず、きまじめなオーストリアの人々。きっちり対策を考えてきた。それが、森林マイスターと呼ばれる制度だ。

いかにもあらゆる分野に徒弟制度が発達したオーストリアらしい「森林マイスター」という言葉。どのようなものなのか。

そもそも、オーストリアでは、一口に「林業従事者」と言っても、業務や役割に応じて、さまざまな資格が用意されている。

まず、山の中で、伐採・造材・集材などの仕事を行う「林業労働者」、ようするに雇われの労働者。林業高校を卒業することでその資格を得ることができる。

これに対し、森林を管理する人々が存在する。「森林官《フォレスター》」や「森林マイスター」というかっこいい肩書きを持つ人々だ。

このうち、「森林官」は五〇〇ヘクタール以上の山林の管理を行う。とは言っても、それほど大規模な山林を所有しているのはほとんどが修道院なのだが、その場合、「森林官」を配置して管理にあたらなければならないと法律で決まっている。「森林官」はなるのも難しく、とても高い地位と見なされている。

これに対して、森林所有者の七〇%を占めている、五〇〇ヘクタール以下の森林を持っている場合、ようするに家族や会社などが山を持っている場合は、「森林マイスター」が管理することと決められているのである。

では、具体的には何をする人々か。一般的には、山林全体の資源量の管理、一年間に伐採することができる木材の量の決定、伐採区域の決定、そして販売先の確保と多岐にわたり、学歴や経験年数、その後の試験による資格状況により担当面積に制限が設けられている。

つまり「森林マイスター」とは、山の木を切りすぎず、持続可能な林業を実現するために必須の職業なのである。

実際のところ、親から子へ山を受け継いだときに、その子どもたちが「森林マイスター」の資格を取得する。自分で山の木を切りながら、同時に管理を行うのである。

「オシアッハー森林研修所」は、そんな「森林マイスター」を育てている、オーストリアに三つしかない国立の森林研修所の一つ。オーストリア南部、イタリアやスロベニアの国境と隣接するケルンテン州。山があり湖があり、湖のほとりに伝統的な家屋が並ぶ、なかなか風光明媚《めいび》な田舎町・オシアッハーにある。

ここでは、チェーンソーの扱い方という基本に始まり、他の木を傷つけずに木を切り倒す方法や、山に架線を張って切った木を運び出すタワーヤーダーと呼ばれる大型機械の扱い方まで、林業に関するあらゆる技能を学ぶ。

と同時に、森林経営のためのあらゆる知識がたたき込まれるのである。

山の中で行われる授業に同行した。

授業中、先生たちが口を酸っぱくするのが、林業は短期の利益を追求するのではなく、持続可能な豊かさを追求しなければならないという理念だ。

この研修所では、五〇年間手入れせず放置し続けた区画と、そのすぐ隣に間伐などによって人の手を入れ続けた区画を用意。生徒たちに見比べさせ、健康な森林がいかに美しく、木もまっすぐ立派に育つのかを実感させる。そして、どの木を切っていいのか、どの木はまだ切るべきでないのか、先生と生徒が議論しながら学んでいく。

「森を持つなら、手入れをしっかり行わなければならない。手入れされることによって、森は健康であり続ける。それによって、これからもずっと守られるんだ。これがオーストリアの林業の哲学なんだ」

日本では、お金にならない多くの山林が、間伐されることもなく放置されている。これに対し、オーストリアでは、山林所有者に森をすみずみまで管理することを義務づけている。

山に若者が殺到した

それにしても、日本では林業従事者というと、危険、きつい、汚いといった、いわゆる3Kのイメージがあるが、オーストリアではどうなのだろうか。

実はオーストリアでも、二〇～三〇年前くらいまでは、林業はきついのにお金にならないと認識されていたらしい。しかし今は、この認識は大きく改善されたという。その理由として、森林研修所の所長、ヨハン・ツェッシャーさんは次の三点を上げた。

第一に、なにより林業従事者の作業環境が安全になった。林業に従事する者はみんな教育を受けることが義務づけられたため、学ぶ機会が増え、安全に対する意識が飛躍的に高まった。

二点目は、山を所有する森林農家が、森林および林業というものが、ちゃんとお金になる産業であると認識するようになった。そして、それは、きちんとした林業教育を受ければ受けるほど、経済的に成功できるということも。

そうした状況を後押ししているのがバイオマス利用の爆発的な発展だ。これによって、森林に新たな経済的な付加価値ができたのだ。逆に言えば、森林所有者が森林に関わる動機付けが、大きくなった。

そして、この傾向は今後も続くと考えられている。現在、オーストリアのエネルギー生産量の約二八・五％は再生可能エネルギーによってまかなわれている。ＥＵは、二〇三〇年までにバイオエネルギーの割合を三四％にする目標を掲げており、オーストリアもこれを目標としている。つまり、国を挙げて、この分野をさらに推し進めていかねばならないのだ。林業にとってさらなる追い風になるのは当然である。

三点目として、「これはとても重要なことだが」と前置きして所長が強調したのは、林業という仕事の中身が大きく変わったことだという。〝高度で専門的な知識が求められるかっこいい仕事〟になった。

今のご時世、ただ山の木を切っていればいいという時代ではない。林業に従事する以上、経済に関することも知っていなければいけないし、生態系に関する知識もなければいけない。さらには、最新のテクノロジーも知る必要がある。

その一方で、林業という仕事が体系化されるにつれて、同僚や会社と協力しながら仕事をする必要も高まってきた。社会的能力も必要とされるようにもなったのだ。

そういう風に、高度な専門性を持つ職業に対する金銭的な対価が、昔に比べて上昇するのは当然だろう。林業という職業はとてもエキサイティングなものになった。

ささいなことであるが、森林研修所で出会った、若者たちをみていてふと思ったのだが、作業服も異様にかっこいい。そうした見た目についても、林業のイメージアップのために改善されてきたのだという。

こうして、世間の森林作業に従事する人へのイメージはがらりと変わった。オーストリアにはもう、３Ｋのイメージがつきまとう林業者はどこにもいないのである。

林業の哲学は「利子で生活する」ということ

いよいよ肝心の質問を、ヨハン・ツェッシャーさんに投げかけてみる。

「森林が一年間に生長する量の一〇〇%を利用することを目指しているのですよね？　しかし、一〇〇%を超えてしまったら。つまり、伐採しすぎてしまったら、どうするのですか？」

答えは明快だった。

「そのような事態が起きてはならない。これを防ぐ最善の方法が、教育なのです。扱ってもよい資源量がわかっていれば、資源を維持しようと努力しますから。私たちは、現在の森林の全体量が減ってしまうような伐採は行いません。どうするかというと、森が生長した分だけを切るのです」

オーストリアでは徹底した森林調査を行っているという。どのくらいの木が切り倒され、どのくらいの木を植え、そして、森林全体で木がどのくらい増えたのか、といった状態を定期的に調査している。これにより、森林資源の収支を見る。この収支を見ながら、毎年どのくらいの木を切るのかを決めるのだ。むしろ、オーストリアでは管理を徹底した結果、森林面積は今でもどんどん増加しているという。

ようするにオーストリアの林業は、元本に手を付けることなく、利子だけで生活しているのだ。これこそが彼らの根本哲学なのだ。

さらに最近では、短期間で、しかもどこでも収穫できる新たな森林資源の研究も始まっている。他の樹木より早く数年で生長する、ポプラという木がある。エネルギー用の木材として、このポプラをあちこちで育てている。オーストリアは雨が多く、数年のうちに生長して大量に収穫することができる。

所長のヨハン・ツェッシャーさんはこう言い切る。

「森の木をみんな切ってしまうのではないかという見方は正しくありません。私たちのやり方だと、身近な資源をお客様の家にずっと届けることができて、しかもそのそばから資源は生えてくるのですから。オーストリアの森林は一〇〇年後も、今と変わらず、健康なままでしょう」

この章の冒頭で紹介した、各国の国債すらターゲットにし始めたマネーのモンスターたち。彼らは、市場の相場の変動が激しければ激しいほど、そこに価値を見出《みいだ》し、買いたたき、売り浴びせ、短期の利益を求め続けている。

それとは正反対の発想が、オーストリアの森に根付いていた。変動より安定。短期より長期。一〇〇年先も変わらず、森から収益を挙げるための投資を行う。それは決して経済的な停滞を意味しない。

「もっとも重要なのは、森林が持続的に良好な状態であるようにすることです。森林の持続可能性が唱えられるようになって以来、この『持続可能性』は私たちの信条となっています。ずっと後の世代もおいしい果実を食べられるよう、十分な森林資源を維持していかねばなりません。

現在、森林は我が国において二番目の外貨の稼ぎ手になりました。木材関連産業だけで、年間三〇億ないし四〇億ユーロの貿易黒字が計上されています。森林が一年間に生長する量の七〇%しか利用していないにもかかわらず、です。

今後は、森林生長量の一〇〇%ぎりぎりまで利用できないかと考えています。それによって、土地所有者、森林所有者はもとより、製材業、製紙業など、林業に関わるすべての産業に恩恵がもたらされるでしょう。そして、オーストリア全体の豊かさに貢献する。これが私たちの目標です」

オーストリアの一人当たりのGDPが、日本のそれを上回っていることは既に述べた通りである。同じ様に森林資源に恵まれた、私たち日本人も忘れていた里山資本主義の真髄が、オーストリアの山の中に息づいている。

里山資本主義は安全保障と地域経済の自立をもたらす

ここまで、オーストリアが里山資本主義を進めてきた背景にある、エネルギーの安全保障と地域経済の自立の理念を見てきたが、オーストリアにはもう一つ、忘れてはならない重要な理念がある。

オーストリアは、世界でも珍しい「脱原発」を憲法に明記している国家である。一九九九年に制定された新憲法律「原子力から自由なオーストリア」では、第二項で原発を新たに建設することと、既に建設された原発を稼働させることを禁止している。ちなみに第一項では核兵器の製造、保有、移送、実験、使用を禁止している。つまり、オーストリアは、軍事利用であれ、平和利用であれ、原子力の利用そのものを憲法で否定している数少ない国の一つなのだ。

しかし、もともと反原発だったわけではない。実は、一九六九年、当時のオーストリア国民党政権は、オーストリア北東部、現在のチェコやスロバキアの国境ぎりぎりに位置する街、ニーダーエスターライヒ州ツヴェンテンドルフに原発の建設を決定。七二年には建設が開始されその後完成している。しかし、それは今日に至るまで、一度も稼働されることはなかった。完成してまもなく、反原発運動がオーストリア全土で吹き荒れたのだ。

きっかけは一九七七年、著名な地震学者が原発の建設地の直下で地震が発生する危険性があることを指摘したことだった。「それでも原発のリスクを受け入れられるのか」。一九七八年一一月、稼働の是非を問う国民投票が実施された。その結果は極めてわずかの差で反対が上まわった。なんと、賛成四九・五％、反対五〇・五％だったが、これで流れが決まった。翌月には、「オーストリアにおけるエネルギー供給のための核分裂の使用禁止」なる法律を制定。将来の原子力発電所の建設を禁止するとともに、完成したばかりのツヴェンテンドルフ原発の稼働禁止も盛り込まれたのである。

そして、一九八六年に起きたチェルノブイリ原発事故。放射性物質がヨーロッパ中にまき散らされると、反原発の機運はさらに上昇。原子力利用そのものを憲法で禁止するに至ったのである。

しかし、オーストリアの人々はこれで満足はしなかった。オーストリアでは電力の一部を他の国から輸入していたが、その元をたどってみると、六％は他の国にある原子力発電所で作られた電力だ、ということが分かったのである。

原発由来の電力は一ワットたりとも使いたくない。そんな原発アレルギーは、日本での東京電力福島第一原発の事故の後さらに強まり、二〇一一年七月に「エコ電力法」という法律を改正。風力や太陽光、それに木のエネルギー利用であるバイオマス発電を増やすことを目的に、その発電技術利用拡大のための補助金を、それまでの年間二一〇〇万ユーロから、五〇〇〇万ユーロに増額。毎年一〇〇万ユーロずつ減額されるものの、二〇二一年以降も四〇〇〇万ユーロを下限に助成され続けることになった。

オーストリアでは、これによって、近いうちに電力の輸入を全て停止し、原発由来の電力を完全に排除することができると計算している（この項ここまで『反核から脱原発へ　ドイツとヨーロッパ諸国の選択』若尾祐司・本田宏編　昭和堂　二〇一二年、参考）。

こうしたアレルギー反応と呼べるまでの〝嫌〟原発の国民性に加え、これまでに登場したオーストリアの人々が口々に訴えていたように、エネルギー問題は自分たちの安全保障を脅かす問題である、という認識が強い。

その大きなきっかけがチェルノブイリ原発事故であるのは間違いないが、もう一つの要因として、中央ヨーロッパの人々がロシアからパイプラインによって天然ガスの供給を受けていることも、無関係ではない。二〇〇〇年頃から、ロシアはたびたび、冬を前にパイプラインによるガスの供給を止めると脅し、ヨーロッパの諸国に対し政治的影響力を高めようとしてきた。その結果、オーストリアでも何度もパニックが起きた。オーストリアの人々が外からのエネルギー供給に対し、強い警戒心をもっているのはこの影響も大きい。

極貧から奇跡の復活を果たした町

里山資本主義をとことん突き詰めた先に、人はどんな豊かさを享受できるのだろうか。次に、究極の里山資本主義を成し遂げた、とある町の取り組みを例に、オーストリアの人々が目指す、経済の進化形を探っていきたい。

バイオマスの分野で世界をリードするオーストリアでも、とりわけ注目され、世界中から年間三万人もの視察が殺到している、とんでもない町がある。ハンガリーとの国境の町・ギュッシング市だ。市とは言っても、人口は四〇〇〇に満たない。小高い丘の上に一二世紀に建てられた古城があり、それを取り囲むように集落が密集。それをさらに取り囲むように小麦畑や森が広がっている。ギュッシングはそんな田舎町である。

なぜ、そんな小さな町がそれほど注目されているのか。それは、二〇世紀を通して、極めて貧しく、西側諸国のなかで最後尾を走っていた町が、気がついてみたら、世界の最先端を走っていたからである。

ギュッシング城と並んで、町を訪れる者の目を引くのが巨大な発電施設。敷地内には、山のように木材や、それを砕いたチップが積まれている。ギュッシングには、こうしたバイオマス発電が三基あるほか、三〇近いバイオマス関連施設があり、町全体の電力や熱をまかなっている。

特に熱利用では、ペレットとは異なる仕組みを導入して、バイオマスが占める割合を飛躍的に高めている。それが、「地域暖房」という仕組みだ。地域暖房は、発電の際に出る排熱を暖房や給湯に利用しようという、コジェネレーションシステムだ。排熱によって熱湯が作られ、町の地下に網の目のように張り巡らせた配管を通って、地域の家庭や事業所に送り込まれている。いわばボイラーのセントラルヒーティングを地域全体で実現したものだ。

この仕組みによって、ギュッシングでは、なんと、エネルギーの自給率七二％を達成した。もちろん、人口四〇〇〇という小さな町だから達成しやすかった数字ではあるが、オーストリアがいくら先進的とは言っても、国全体でみると木質バイオマスエネルギーの割合はまだ一〇％（日本はわずか〇・三％）、世界の他を探してもこれほどの町はほとんど見当たらないからいかに驚異的な数字か分かるだろう。

この地域暖房の仕組みは、ヨーロッパの他の地域にも、少しずつ広がっている。実は近年、日本でもオーストリアにならって、この地域暖房を導入しようという動きが、山形県の最上《もがみ》町《まち》など、東北地方の、冬寒くて集落が比較的密集している地域で起きている。しかし、それはあくまで役場などの公共施設や旅館などの宿泊施設にとどまり、一般家庭にまではなかなか届いていない。

では、ギュッシングでは、どうして一般家庭も巻き込み、町全体でシステムを組むことができたのか。鍵《かぎ》を握るのが、住民一人一人の決断である。

エネルギー買い取り地域から自給地域へ転換する

私たちは、ギュッシング郊外の、シュトレームという集落に住む、農家のクルト・ガルガーさんを取材することができた。

ガルガーさんは、小麦を栽培し、ささやかな森を持つ典型的な農家。妻と子ども二人の四人で暮らす。このガルガーさん一家の歴史をひもときながら、この町が歩んだ道をたどっていきたい。

冷戦時代末期の一九八〇年代、ガルガーさんたちの生活はどん底にあった。ギュッシングが西側で最も貧しい町の一つだったからだ。当時、東側に属していたハンガリーとの国境に接していたギュッシング。ガルガーさんの畑も五〇〇メートル先には、鉄条網が張り巡らされ、兵士が銃をかまえて見張っているという状況。「射殺されるから近づくな」。幼い頃、ガルガーさんは、親から散々言い聞かされていた。そんな環境では、町を訪れる人もまばら。外からの投資を呼び込むこともできず、高速道路も鉄道もなかった。当然、農業を細々と続けるだけ。町の面積の四四%を占める森林も全く活かされないまま放置されていた。そうするうちに、若者はウィーンやグラーツといった都市部に働きにでるようになった。ガルガーさんの叔父《おじ》夫婦にいたっては、家財道具一式を担いで、アメリカに移住してしまった。ただ、そんななかでも、若きガルガーさんは、贅沢《ぜいたく》さえ言わなければ、専業農家として生きていくぐらいはできるだろうと考えていた。

そして、一九八九年。誰もが待ちに待った冷戦の終結。ベルリンの壁の崩壊とともに、ハンガリーとの国境の鉄条網は取っ払われ、兵士たちも去っていった。ヨーロッパが統合に向かうなかで、行き来も自由となった。これで、自分たちの生活は豊かになるとギュッシングの人々は考えた。

ところが、その夢はもろくも打ち砕かれる。グローバル化によって、次なる敵、安い農産物が大量に東側の諸国から押し寄せてきたのだ。農家は、これに対抗するため、生産性を高め、利益を上げる農業を迫られた。しかし、ガルガーさんの農地はあまりに狭かった。

オーストリアがEUに加盟し、統一通貨ユーロを導入した一九九〇年代には、既にガルガーさんたちギュッシングの人々は、七割もが都市部の工場などに出稼ぎに行かなければならなくなっていた。

ガルガーさんたちが、冷戦期の方がましだったのではないかと疑念を抱き始めたちょうどその頃、町では静かな革命が進んでいた。一九九〇年、ギュッシング議会は、全会一致で、エネルギーを化石燃料から木材に置き換えていくことを決定したのである。

決議のポイントは、単にエネルギー問題として捉えるのではなく、地域経済の再生の切り札として捉えていた点である。当時の町のリーダーたちは、地域の外に支払っていたエネルギー代を試算した。すると、毎年、六〇〇万ユーロものお金が流出していた。このお金の流れを変え、地域内で循環させれば、町はもっと潤うのではないか。里山資本主義、誕生の瞬間だった。

一方その頃日本はというと、バブル崩壊前後。「ジャパン・アズ・ナンバーワン」として、世界との経済戦争に打ち勝つことができると考えていた時代。グローバル経済を突き進んだ先に豊かな未来があると誰もが信じていた。そんな折、どれほどの人があえてグローバル経済と一線を画すことを考えていただろうか。

ギュッシングでは地域発展計画を策定し、一九九二年には最初の地区で木質バイオマスによる地域暖房を開始。九六年には半官半民による「ギュッシンガー地域暖房社」が設立され、より広域に地域暖房網が整備されていった。地下に張り巡らされた熱配管の総延長は三五キロメートルにも及び、市街地と産業施設を網羅した。そして二〇〇一年には、コジェネレーションによる発電を開始。国の買い取り制度を利用して売電するようになった。こうした取り組みと並行して、太陽光発電や菜種油などの廃油のエネルギー利用などを進め、脱化石燃料宣言から一〇年余りで町は、七〇％以上のエネルギー自給を達成したのである。一九九〇年に六〇〇万ユーロもの金額を地域外に流出させていたギュッシングでは、二〇〇五年の時点で、お金の流れは完全に逆転し、地域全体で一八〇〇万ユーロもの売り上げを得られるようになっていた(『100%再生可能へ! 欧州のエネルギー自立地域』滝川薫編著 学芸出版社 二〇一二年、参考)。

雇用と税収を増加させ、経済を住民の手に取り戻す

その恩恵は、それまで極貧の生活を強いられていたガルガーさんたち、農家にもたらされた。

ガルガーさんたち九五〇人が暮らすシュトレーム地区では、二〇〇一年に地域暖房システムを建設した。家庭でも事業所でも一口、八〇〇〇ユーロを出し合って、建設費一〇〇〇万ユーロの半分を捻出。残りも銀行からの借金でまかなった。大手資本は一切入れていない。運営は組合方式で、住民自身の手で行っている。

オーストリアでは、国として脱原子力を決めたときもそうだが、たとえ数百人単位の集落であっても、大事なことを決めるときには必ず住民投票を行う。シュトレームでも、住民投票で地域暖房の導入を決めた。自分たちで決めたことだから責任も伴う。地域暖房のメンテナンスは、ガルガーさんを含め四人の住民が交代で行っている。

燃料となる木材も自分たちで出し合う。ガルガーさんも、それまで放置していた森に入り、木を切り出すようになった。木材の買い取り価格は一立方メートルあたり約一六ユーロ。お金は地域暖房の利用料から支払われる。これが安定収入につながった。自分たちの森を通じて、地区に貢献できていることが目に見えるのもうれしいのだという。

そして、エネルギーの利用料金も自分たちで決めることができる。ガルガーさん一家が、二〇一〇年の一年間に支払った光熱費は、一二四二ユーロ。その一方で、燃料となる木材を提供したことによる収入は一三二七ユーロもあった。八五ユーロの黒字。わずかではあるがこれがけっこう誇らしい。

エネルギーを利用する自分たちがエネルギーの値段を決める。国際的な原油価格が値上がりを続けるのを尻目に、シュトレーム地区では、二〇一二年、銀行融資の返済が終了し、利用料の値下げを決定した。

「ギュッシングではエネルギーの値段は自分たちでコントロールしています。だから、世界市場の需給に依存しなくてすみます。価格が相場に左右されることもありません」

こうした仕組みができあがった結果、農業以外、めぼしい産業がなかったギュッシングに、安価で安定した熱や電気を求めてヨーロッパ中から企業がやってきた。ヨーロッパ有数の大手床材メーカー・パラドア社もその一つ。決定打となったのは、製品の乾燥に多くの熱を必要とすることに加えて、床材を加工した際に出る木くずを地域暖房に売ることができることだった。多大にかかっていた光熱費はプラスマイナスゼロになったという。

ギュッシングでは、一三年間で五〇もの企業がやってきて、計一一〇〇人の雇用を生み出した。四〇〇〇という人口の四分の一にあたり、とても大きな数字であることが分かる。これによって遠くに出稼ぎに行く人もぐっと減った。

パラドア社で搬入される資材の検査を担当している、二〇代の女性従業員から話を聞いた。一年前から勤めているという女性は、ギュッシング近くのオルベンドルフという町から車で一五分かけて通っている。「ここの仕事はどうか？」と尋ねた私たちに対し、開口一番、「自分はとてもラッキーだった」と話し始めた。というのも、ギュッシングが属するブルゲンラント州では未《いま》だに仕事を見つけるのがとても難しく、ギュッシング以外では、今でもウィーンやグラーツなどの大都市で働いている人がたくさんいるからだ。この女性の地元の友人たちも、平日は都市で暮らしながら働き、週末は地元に帰ってきて過ごしているという。

ガルガーさんも、農作業の合間をぬって、この床材メーカーに勤めていて、リフトで製品を運ぶ仕事に携わっている。収入も一割程度増え、暮らし向きはずいぶん楽になった。

相次ぎ企業がやってきて、雇用も増えれば、当然、町全体の税収も跳ね上がる。

ギュッシング市では、税収が一九九三年に三四万ユーロだったのが、二〇〇九年には一五

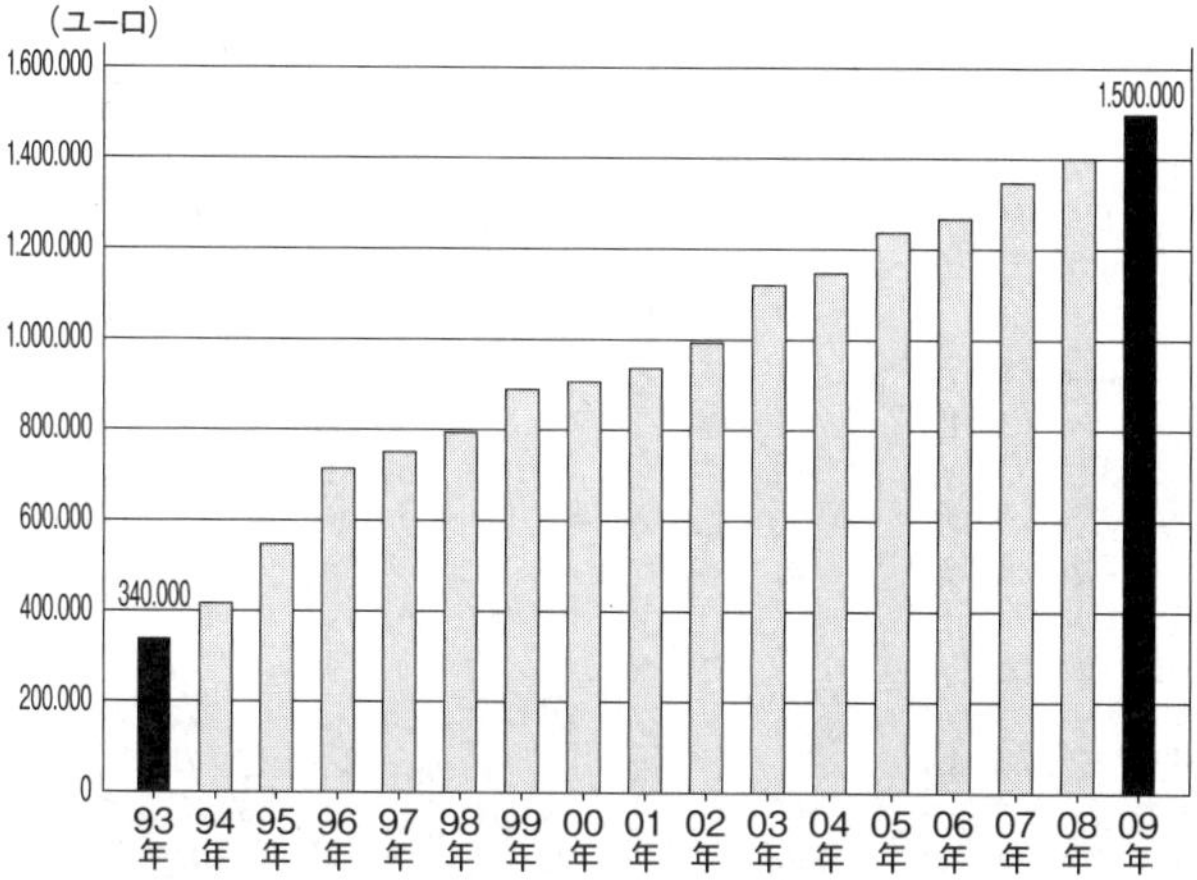

[資料提供]ギュッシング市

ギュッシングの税収(1993－2009年)

○万ユーロへと、実に四・四倍も増えた。
これによって市では、道路やスポーツ施設など、各種公共インフラの整備も進み、町全体がきれいになった。取材中、真新しいグラウンドでサッカー大会が開かれているのに出くわした。プレーする人も応援する人も、その目はきらきらと輝き、もはやかつてヨーロッパ一貧しかった町の面影を、みじんも見出すことはできなかった。

ギュッシングモデルでつかむ「経済的安定」

取材の最後に、ギュッシング市長、ペーター・バダシュ氏に話を聞くことができた。一九九〇年、プロジェクトの立ち上げ当初から市長を続け、取り組みをリードしてきたバダシュ氏。自信に満ちあふれた風格をしている。

「エネルギーの輸入は、私たちにとって、何の利益ももたらしません。毎年、数百万ユーロがこの町から消えてしまうだけだからです。利用されないまま、何千トンもの木材が廃材として森の中で朽ちていくのに、なぜわざわざ数千キロも離れたところから天然ガスや石油を運んで家やアパートを暖かくするのか、と疑問に思ったのです。

世界経済はある一握りの人たちによって操られています。それはあまり健全なこととはいえません。私たちが作り上げたモデルによって、市場を狂わせる投資家を直ちに減らすことはできないかもしれません。しかし、エネルギーという非常に大切な分野において、ある程度の主導権を握ることができるのです。私たちは、『経済的安定』に向かって大きな一歩を踏み出したと言えるでしょう」

別れ際、バダシュ市長は、私たちに何度も「大事なのは、住民の決断と政治のリーダーシップだ」と繰り返した。

ギュッシングが作った新しい経済の形は今、「ギュッシングモデル」と呼ばれ、ヨーロッパ各地で導入が進んでいる。私たちが取材に訪れたときも、イタリアから視察団が大型バスで訪れていた。ユーロ危機の渦中にあるイタリアから、その影響を回避しているオーストリアへ。彼らは何を学ぼうとしているのだろうか。

「ギュッシングモデル」は、単に地域でエネルギーの自立を目指すことに止《とど》まらない。それは、二〇世紀の一〇〇年をかけて築かれたグローバル経済に対し、その歪《ひず》みに苦しむ人たちが、もう一度、経済を自分たちの手に取り戻そうとする闘いなのである。

「開かれた地域主義」こそ里山資本主義だ

振り返ってみれば、二〇世紀の一〇〇年間は、経済の中央集権化が突き詰められていった時代だった。

鉄やコンクリートといった、重厚長大な産業を基盤として発展していくには莫大《ばくだい》な投資や労働力の集約が必要だった。そのため、ある程度、国家主導で大資本を優遇しながら進めざるを得なかった。しかし、その目的は国民一人一人のため、というよりも弱肉強食が続く国際社会で、国家をより強くすることにあった。二〇世紀初頭においては、帝国主義政策における富国強兵であり、二〇世紀半ばには、第二次大戦後の復興と、それに続く高度経済成長。そして二〇世紀の後半は、グローバル経済の熾烈《しれつ》な競争に勝ち残るためであった。

その過程で、人類は、たとえ地球の裏側からでもあらゆる物をすばやく運んでくるために、陸海空にわたる巨大なインフラネットワークを作り上げてきた。

二一世紀になると、人、物、金に飽きたらず、IT革命によって、情報までも瞬時に飛び交うシステムが確立されていった。しかし、その中央集権的なシステムは、山村や漁村など、競争力のない、弱い立場にある人々や地域から色んなものを吸い上げることで成立するシステムでもあった。地域ごとの風土や文化は顧みられず、地方の人間はただ搾取されるのみであった。経済成長には、金太郎飴《あめ》のようにどこもかしこも画一的である方が効率的だったのであり、地域ごとの個性は不要だったのである。

しかし、二一世紀。ある程度の経済成長を果たし、物が溢れる豊かな時代になって、私たちはふと気づいた。全国どこにいっても同じ様な表情になってしまった日本の町を見て、違和感を覚え始めたのである。地域ごとの風土や文化を見直そうという運動が各地で始まる。スローフード、地産地消、スローライフ。昨今、人気を集めるご当地グルメのチャンピオンを決める、B-1グランプリも、そうした人々の気付きを端的に表すものと言える。

里山資本主義は、経済的な意味合いでも、「地域」が復権しようとする時代の象徴と言ってもいい。大都市につながれ、吸い取られる対象としての「地域」と決別し、地域内で完結できるものは完結させようという運動が、里山資本主義なのである。

ここで注意すべきなのは、自己完結型の経済だからといって、排他的になることではない点だ。むしろ、「開かれた地域主義」こそ、里山資本主義なのである。

そのために里山資本主義の実践者たちは、二〇世紀に築かれてきたグローバルネットワークを、それはそれとして利用してきた。自分たちに必要な知恵や技術を交換し、高め合うためだ。そうした「しなやかさ」が重要なのである。

ここで第一章に登場した、岡山県真庭市の建材メーカー社長・中島浩一郎《なかしまこういちろう》さんに再び登場していただこう。製材のときに出る木くずを利用して、発電事業を進めてきた中島さん。そのスタートは一〇年以上も前。今のように、どこもかしこも「エコだ」「脱原発だ」と言い始めるよりずっと前のことだった。その発想の源はどこから得ていたのか。それを探りながら、里山資本主義のもつ「しなやかさ」について考えていこう。

中島さんの発想の源。それは、海外の町、とりわけ田舎の町と直接つながることだった。中島さんは頻繁にオーストリアを始め、バイオマス先進地の人々と交流を深め、最新の知識を仕入れてきた。

中島さんの工場にお邪魔すると、しばしば工場内を欧米系の人たちが歩いているのを見かける。その多くが視察だという。にわかに信じがたいが、年間五〇〇人にもなるという。ときには、オーストリアから著名な大学教授を招いて、勉強会も開く。それを社員だけでなく、地域の木材産業関係者や役場の担当者にも聞かせる。中国山地の山奥で、地域をあげて世界の最先端を学んでいるのだ。

その一方で、先に記したように中島さんは、頻繁に海外の先進地も視察する。ヨーロッパだけではない。ロシアの極東地域に巨大な工場が建ち、眠れる木材活用の動きありと聞けば、「一度見ておこう」と飛行機と夜行バスを乗り継いで現地入りする。還暦を過ぎた社長が、である。海外視察にはなるべく若手社員を同行させる。若いうちから、海外を見せることによって、将来の銘建《めいけん》工業、いや日本の木材産業を担う人材を育てようとしているのである。今後、近いうちに、オーストリアの大学に若手社員を留学させる計画も胸に秘めている。それは、一般に斜陽とされる分野の会社社長のやることではない。中島さんの目は、常に未来を見据え続けている。

余談にはなるが、そんな社風に惹《ひ》かれ、中島さんの会社には、東京や大阪など大都市から、しかも一流の大学を出た若者が就職したいとやってくる。最近は女性も増えた。採用担当者が、「大学を出たての、しかも東京出身の女性が、本当に中国山地の山奥で一人暮らしできるのか」とやきもきするほどなのだ。

そんな、あくなき探求心で、最先端の知識や技術を吸収し続ける中島さんが、木のエネルギー利用に加え、いま新たに挑戦したいと考える分野がある。それが、中島さんの本業である、建築材。これまたオーストリアで、従来の常識を覆す新しい技術が誕生しているというのである。

新しい集成材、CLT。コンクリート並の強度を誇る

鉄筋コンクリートから木造高層建築への移行が起きている

中島さんの次なる革命は、工場の片隅でひっそりと進められていた。製造ラインはまだないため、手作りで試作を繰り返しているという建築材。

一見、板を重ね合わせただけの何の変哲もない集成材。ところが、よく見ると、通常の集成材は、板は繊維方向が平行になるよう張り合わせているのだが、こちらは板の繊維の方向が直角に交わるよう互い違いに重ね合わせられている。

その名もCLT。クロス・ラミネイティッド・ティンバーの略で、直訳すると、「直角に張り合わせた板」だ。それがどうしたのか。実は、たったこれだけのことで、建築材料としての強度が飛躍的に高まるのだという。

中島さんがCLTによって成し遂げようとして

いること。それは、これまで建築が認められてこなかった、木造の高層建築が可能になるというのだ。二〇世紀、経済成長の象徴であった鉄とコンクリートに奪われていた分野を、木材が取って代わろうという、ちょっと耳を疑う壮大な計画なのである。

「今まで、日本の建築史において、長年木材が占めてきた分野が、戦後は鉄やコンクリートなどによって、奪われっぱなしだった側面があるかと思います。しかし、このCLTの登場によって、四階建て、五階建て、場合によってはそれ以上の中規模なビルまで木材で造ることが可能になるんです」

こう言い切る中島さん。それは、中島さんが取り組む木のエネルギー利用にとっても、大きな意味がある。工場で使う電気を全てまかなう木くずの発電。町全体のエネルギーをまかない始めたペレット。その利用をさらに拡大していくためには、そもそもベースとなる建材需要の拡大が欠かせない。エネルギー利用と建築材利用。日本の山を復活させるためのいわば車の両輪なのである。

そのCLTが誕生したのは、二〇〇〇年頃。これまた木材利用先進国であるオーストリアからだった。「百聞は一見にしかず。実際にその現場を見に行きましょう」。中島さんの言葉に誘われて、私たちは再びオーストリアを訪れることになった。

ロンドン、イタリアでも進む、木造高層建築

オーストリアの首都ウィーン。郊外に向かって車を走らせていた私たちの目に、とんでもない光景が飛び込んできた。

見えてきたのは、ビルの建築現場。しかしどこか普通の現場とは違う。どこからどうみても鉄筋コンクリートではない。我が目を疑う。どうみても木なのである。それもなんと七階建ての高層建築なのだ。

工事関係者の許可を取り、建築現場内部も見学できた。やはりどうみても、木材である。壁も床も天井も。不思議な光景だった。エレベーター周りに一部コンクリートが使われているものの、あとは全て木材でビルが建てられていたのである。通常、木造建築というと、柱や梁《はり》に木を利用するが、CLTは木を縦横交互に張り合わせているので、巨大で分厚い板になる。そのため、柱や梁のような使い方ではなく、壁が丸ごと、天井が丸ごと、床が丸ごと、木材になるのである。

いま、こうしたCLTによる木造高層ビルが、オーストリアの都市部のあちこちに建ち並び始めているのだ。

CLTはもともと、一九九〇年代、ドイツの会社で考え出されたものだったらしい。しかし、その会社には製材部門がなかったため、その技術は一九九八年、オーストリア南部のカ

ッチュ・アン・デア・ムアという、小さな村にある製材所が採用した。そして、オーストリア第二の都市・グラーツにあるグラーツ工科大学の協力を得て、技術に改良が加えられていった。CLTで壁を作り、ビルにしたところ、鉄筋コンクリートに匹敵する強度を出せることが分かったのである。それは、高層ビルは鉄とコンクリートで造らなければならない、という常識を覆した。そこからオーストリア政府の動きは早かった。木造では二階建てまでしか建てられないとしていたオーストリアの法律が、二〇〇〇年、改正されたのだ。今は九階建てまで、CLTで建設することが認められているという。

以後、それまでは石造りが基本だったオーストリアの町並みが木造へとシフトしていく。CLT建築は、単に強度に優れるだけでなく、夏は暑く、冬は寒い石造りや鉄筋コンクリートより快適な住環境を提供した。オーストリアの片田舎で生まれた技術は、ヨーロッパ各地に伝播《でんぱ》。生産量はヨーロッパ全体で、七年間で二〇倍、五〇万立方メートルに増え、ヨーロッパにおける建材生産量四〇〇万立方メートルの八分の一を占めるまで成長した。ロンドンにはなんと、九階建てのCLTビルまで登場している。

日本人が知らないうちに、ヨーロッパはこんな世界までたどり着いているのか。エネルギー同様、そのスピード感には驚かされる。それが素直な感想だった。と同時に、ある当然の疑問が湧いた。木で造ったビルなど、地震が来たら危ないのではないかと。

CLT によって建設中の木造高層ビル

CLT によって建てられたアパート

ところが、日本と同じ地震国であるイタリアでも、急速にＣＬＴが普及し始めているのだ。イタリアにある国立森林・木材研究所が、地震にも強いことを実験によって証明したからである。実は実験は日本で行われた。二〇〇七年、兵庫県三木《みき》市にあるE-ディフェンスと呼ばれる世界最大規模の耐震実験施設、そこに七階建てのＣＬＴ建築を持ち込み、阪神淡路大震災と同じ震度七の揺れを加えたところ、みごと耐え切ったのである。

三〇〇人以上が犠牲になった二〇〇九年の中部・ラクイラ地震のあと、イタリアでは、大半の建物がＣＬＴで建てられるようになったという。ミラノには近々、一三階建てのＣＬＴ建築も登場するとのことだった。

火事への備えも万全。耐火の試験も重ねられ、ＣＬＴ建築の一室で人為的に火災を発生させたところ、六〇分経っても、炎は隣の部屋に燃え広がらないどころか、少し室温が上がったかなという程度だったらしい。何から何まで驚かされる。私たちはいつの間にか、木造は火事や地震に弱いと思い込んでしまっていたのである。今、ヨーロッパでは逆に、ＣＬＴこそ、高層建築にぴったりの建材だと考えられるようになっている。

産業革命以来の革命が起きている

続いて、同じくウィーン郊外に建設された、五階建てのＣＬＴアパート群を訪ねた。木目の温かい外壁を活かしつつも、オーストリア人が好むという、赤や黄のパステルカラーのデザインをあしらったおしゃれなアパートが並ぶ。住民に話を聞くと、口々に褒め称《たた》える言葉が飛び出してきた。

「天然の木材が使われているのがとっても魅力的なんです」

「以前は石造りの家に住んでいましたが、それと比べても熱を逃がさないので、冷暖房費も安くすむんです」

それを聞いて、中島さんの日本への導入の思いも強くなる。

「ヨーロッパはこれができだしてたった一〇年です。その前はなかったわけですから、日本も必ずやれると思います」

視察の最後に訪ねたのがウィーン工科大学。木造建築の第一人者・ヴォルフガング・ヴィンター教授に話を聞いた。ヴィンター教授は、鉄筋コンクリートから木造建築への移行は、単なる建築様式の変更と捉えるのではなく、産業革命以来の革命と言っても過言ではないと熱弁した。

「一九世紀、産業革命がありました。石油や石炭など、無尽蔵だと信じられてきたエネルギー資源に支えられて得たものは、機械、大規模ユニット、ロジスティックス、すべて大規模でした。エネルギー資源が産業革命の原動力だったのです。二〇世紀を通して、私たちは、セメントと鉄鋼を生産するために、石炭や石油など多くのエネルギーを費やしました。セメントや鉄の生産には途方もない額の投資が必要です。工場は巨大で、たいていの国であれば、一つの国に一つあるかどうかでしょう。そうして二〇世紀の人類は発展してきました。

ところが、今日ではエネルギー資源はあまりありませんから、この星にある自然が与えてくれるもので私たちは生活しなければなりません。この思考の大転換こそが真のレボリューション（革命）です。そうした革命に木材産業はうってつけなのです。森林は管理し育てれば無尽蔵にある資源だからです。

その結果、経済は必然的に国家中心から地域中心になっていきます。製材業はたいていファミリー企業です。原料の調達も、せいぜい二〇〇〜三〇〇キロ圏内でまかなえます。生産には多くの人手がかかります。ようするに、木材は、投資は少なくてすむ一方、地域に多くの雇用が発生する、経済的にもとても優れた資源なのです」

日本でもCLT産業が国を動かし始めた

しかし、日本に戻ってみると、CLTを普及させようという中島さんの夢には大きな壁が立ちはだかる。建築基準法上、三階建て以上の木造建築は制約が多いのだ。日本では、ヨーロッパ以上に、飛躍的な経済成長を支えた立役者である鉄やコンクリートに対する信仰が篤

耐震実験をクリアした CLT のビル

く、貧しさの象徴であった木造に意識を転換するのは容易ではない。

最近でこそ、二〇一〇年、日本の国産木材の普及を図ろうと、「公共建築物等における木材の利用の促進に関する法律」が策定され、学校など、公共建築物等の木造化が進められてきた。しかし、毎年、新規に着工される公共施設のうち、木造はわずか八・三%にとどまっている上、公共施設だけでは爆発的な木材需要の向上は期待することもできない。

そうした現状を打破しようと、中島さんは、二〇一二年一月、鹿児島、鳥取の製材会社と連携し、「日本CLT協会」を設立。中島さん自ら会長に就任し、本格的な普及に向け、乗り出した。

「日本の林業や製材をベースにした木材産業の新しい突破口になる。地域にも風穴が開くし、林業・木材産業にも新しい風を送り込めると信じています」

永田町や霞《かすみ》が関《せき》などにたびたび足を運び、国会議員や行政に法改正の必要性を訴えてきた。バイオマス分野で大きな実績を残してきた中島さん、少しずつ、思いが届き始めている。

二〇一二年二月。中島さんが念願していたある実験が、国土交通省の主導によって行われた。場所は、茨城県つくば市にある防災科学技術研究所。兵庫県のE-ディフェンスと並び、日本が誇る大規模な耐震実験施設である。

持ち込まれたのは、CLTパネルを使った三階建ての建物（荷重により五階を想定）。建築材は中島さんが提供した。中島さんはあえて、震動に弱いとされる杉で作ったCLTパネルを用意した。うまくいけば、国産材の半分を占める杉の活用に道が開けると考えたからである。一〇〇人以上の関係者が見守るなか、建築基準法が耐震基準とする震度六弱の揺れが加えられた。がたがたと大きな音を立ててきしむCLTのビル。しかし、最後まで倒れなかった。専門家が時間をかけて内部をチェックしたが、目立ったひび割れも見つからなかった。

「もうちょっと揺らして欲しかった」と、ほっとしつつもいたずらっぽい笑顔で語る中島さん。実用化に向けて、大きな一歩を踏み出した瞬間だった。今後、さらなる耐震・耐火の実験を繰り返しながら、二年後の法改正、実用化を目指すことになった。

そうなると、いてもたってもいられない中島さん。なんと、法改正を待たないまま、自らの工場の一角に一五〇〇万円をかけて、ＣＬＴ専用の製造ラインを造ってしまった。

「それじゃーやります」

二〇一二年六月、ラインが完成し、試験運転が行われた。がたがたがた。初めてのＣＬＴパネルが機械から流れ出てきた。

もちろん、今の段階でいくらＣＬＴパネルを生産しても、すぐに建てることはできない。当面は、今後行われる、耐火や耐震の実験に提供する材料を製造することが目的。だが、建築基準法には「大臣認定」という制度があり、特別な手続きを経れば、建設も全く不可能というわけではないらしい。

噂を聞きつけた大手住宅メーカーなどから早くも問い合わせが来ているという。

「おおげさにいえば、里山革命じゃないですけど、ＣＬＴを一つの道具にしたいと思います。これで所得とか雇用とかこの地域でも生んでいきたいし、広げていきたい。産業革命以来の、新しい地域発の革命ができるのかな」

鉄やコンクリート、石油など、二〇世紀を支えた重厚長大な産業と違い、それほど大きな設備投資や労働力、世界の裏側から資源を運んでくるインフラを必要としない木材産業。それゆえ、比較的低リスクで産業構造を根本から変えていく力を秘めている。

開かれた地域主義の下、お互いに知恵を吸収しやすいのも特徴である。それは、地域がベースとなった産業のため、互いにつぶし合うほど競争しなくてすむからだ。むしろ、協調し、互いに行き来しながらともに進化していく。それが里山資本主義のもつ、「しなやかさ」なのである。

中間総括　「里山資本主義」の極意
――マネーに依存しないサブシステム

（藻谷浩介）

加工貿易立国モデルが、資源高によって逆ザヤ基調になってきている

人が生きていくのに必要なのは、お金だろうか。それとも水と食料と燃料だろうか。食料も地下資源も自給できない日本ではこれまで、このように問うこと自体が愚かだった。「水も食料も燃料も、日本ではお金で買うものだ。そもそも輸出産業が稼いだお金があって、はじめて外国から食料と燃料を輸入できる。本来豊富にあるはずの水も、都市部では巨大な上水道システムを回さなくては供給できず、そこでは輸入した燃料を燃やして作った電気が大量に使われている。お金なくして、この小さな島国に一億三〇〇〇万人近くもひしめく我々の生存はない。

そしてそのお金を稼ぎ続けるには、経済が成長していかなくてはならない。しかるに日本の景気は長期の低迷の中にあり、かつて世界一と謳《うた》われた国際競争力はもはや地に落ちている。だからこそ今の日本にもっとも必要なのは、国としての成長戦略であり、景気回復策なのだ。一番手っ取り早いのは金融を緩和して、世の中にお金をもっとたくさんたくさん、ぐるぐると回すことだろう。どんどんお札を刷ればいい。刷れなくても、日銀が国債を買い込んで日銀券で支払ってくれれば同じことだ。

何、将来世代に負担を残す？　将来を語るのは、目の前の不景気をまず解決してからにしろ。何、金融緩和は効かない？　効かないなら効くまでやれ」

……というような議論は、最初から少々決め付けが過ぎるうえ、後になるほど論理が飛躍して行く。しかしながら東日本大震災から二年を経たこの日本は、この「お金をぐるぐる回せば万事が解決する」論に染まり始めた。自分の尻尾《しっぽ》を噛《か》もうとしてぐるぐる回る犬のように、実際にはやればやるほど体力を失って、自分の首を絞めてしまう話なのだが。

そもそも日本の国際競争力は、地に落ちてなどいない。報道とは違って日本製品の多くが着実に売れ続けているのに加え、これまでの海外投資も多くの金利配当収入をもたらし、バブル崩壊以降の二〇年間だけでも三〇〇兆円ほどの経常収支黒字が外国から流れ込んだ。だがそのお金は貯蓄されるばかりで国内の消費に回らない。金融緩和も進められ、マネタリーベース（日銀が供給する貨幣の量）も同時期に二・五倍に膨れ上がったが、名目GDPはぱったりと成長を止めてしまった。仕方がないので政府がポンプ役を買って出て、国債を発行して貯蓄を吸収し「景気対策」につぎ込んできたが、それでもお金が自分でぐるぐる回りだすことはなく、消費は一向に増えないままだ。気がついてみると、約一〇〇〇兆円の借用証書を書いた日本政府に、税収として還《かえ》ってきているのは年間四〇兆円未満。毎年税収と同額以上を借り増ししないと資金繰りが回っていかない。そうこうしているうちに国内の貯蓄がすべて国債になってしまう状況が近づきつつある。

他方で海外に支払う燃料代は年々増えている。日本の石油・石炭・天然ガスなどの輸入額は、二〇年前には年間五兆円に満たなかったが、中国やインドの経済発展を受けて世界的に資源価格が上昇した今では、年間二〇兆円を超えているという。それでも工業国同士の競争となると日本は強い。震災・ユーロショック・超円高が連鎖した二〇一一年ですら、EU・米国・中国・香港・韓国・台湾・シンガポール・タイ・インドから合計一四兆円の貿易黒字を稼いだ。だがその儲《もう》けは全部アラブ産油国などの資源国に持っていかれてしまい、最終的にはマイナス二兆円と三一年ぶりの貿易赤字に落ち込んでしまった。資源を買ってきて製品にして売るという加工貿易立国モデルが、資源高のせいで逆ザヤ基調になってきているのだ。

マネーに依存しないサブシステムを再構築しよう

もう一度問おう。われわれが生きていくのに必要なのは、お金だろうか。それとも水と食料と燃料だろうか。

間違えてはいけない。生きるのに必要なのは水と食料と燃料だ。お金はそれを手に入れるための手段の一つに過ぎない。手段の一つ？　生粋の都会人だと気付かないかもしれない。だが必要な水と食料と燃料を、かなりのところまでお金を払わずに手に入れている生活者は、日本各地の里山に無数に存在する。山の雑木を薪《まき》にし、井戸から水を汲《く》み、棚田で米を、庭先で野菜を育てる暮らし。最近は鹿も猪も増える一方で、狩っても食べきれない。先祖が里山に営々と築いてきた隠れた資産には、まだまだ人を養う力が残っている。これに「木質バイオマスチップの完全燃焼技術」といった最先端の手段を付加することで、眠っている前近代からの資産は、一気に二一世紀の資産として復活する。

さらには、震災で痛感した人も多いはずだ。お金と引き換えに遠くから水と食料と燃料を送ってきてくれているシステム、この複雑なシステム自体が麻痺《まひ》してしまえば、幾ら手元にお金があっても何の役にも立たないということを。あのとき一瞬だけ感じたはずの、生存を脅かされたことへの恐怖。貨幣経済が正常に機能することに頼り切っていた自分の、生き物としてのひ弱さの自覚。その思いを忘れないうちに、動かなくてはならない。お金という手段だけに頼るのではなく、少なくともバックアップ用として別の手段も確保しておくという方向に。そう難しい話ではない。家庭菜園に井戸に雑木林に石油缶ストーブがあるだけで、世界はまるで変わる。お金で結ばれた関係だけではない、日ごろの縁と恩でつながった人間関係があるというだけで、いざというときにはかけがえのない助けとなる。

「里山資本主義」とは、お金の循環がすべてを決するという前提で構築された「マネー資本主義」の経済システムの横に、こっそりと、お金に依存しないサブシステムを再構築しておこうという考え方だ。お金が乏しくなっても水と食料と燃料が手に入り続ける仕組み、いわば安心安全のネットワークを、予《あらかじ》め用意しておこうという実践だ。勘違いしないで欲しいのだが、江戸時代以前の農村のような自給自足の暮らしに現代人の生活を戻せ、という主義主張ではない。お金を媒介として複雑な分業を行っているこの経済社会に背を向けろという訳でもない。庄原《しょうばら》の和田さんも言っている。「お金で買えるものは買えばいい、だがお金で買えんものも大事だ」と。前章のオーストリアの例のように、森や人間関係といったお金で買えない資産に、最新のテクノロジーを加えて活用することで、マネーだけが頼りの暮らしよりも、はるかに安心で安全で底堅い未来が出現するのだ。

ただし里山資本主義は、誰でもどこででも十二分に実践できるわけではない。マネー資本主義の下では条件不利とみなされてきた過疎地域にこそ、つまり人口当たりの自然エネルギー量が大きく、前近代からの資産が不稼働のまま残されている地域にこそ、より大きな可能性がある。また里山資本主義は、マネー資本主義の評価指標、たとえばGDPや経済成長率を、必ずしも大きくするものではない。それどころかまじめに追求していくと、これらの指標を縮小させる可能性もある。しかしそれは、「簿外資産の活用による金銭換算できない活動が、見えないところで盛んになって、お金に換算できない幸せを増やす。ついでに、お金で回る経済システム全体の安定性も見えないところで高まっている」という話にほかならない。

そのあたりをもう少し解きほぐしつつ、里山の招く安心安全の世界をご紹介しよう。

逆風が強かった中国山地

山国・ニッポンでは、里山は珍しいものではない。なにしろ国土の七割ほどは山林だ。だがその中でも、中国山地の実情はとりわけ厳しい。「地方の山間部に元気がないのは当たり前だ」と思うかもしれないが、中国山地の場合にはいろんな意味で特に逆風が強いのだ。これについては少々解説が必要だろう。

そもそも中国山地は、前近代には日本の産業の中枢的な機能の一つを担っていた。スタジオジブリのアニメ映画「もののけ姫」にも描かれているが、日本刀や高品質の農具を作るたたら製鉄の中心地だったからだ。今でも島根県安来《やすぎ》市にある日立金属の工場では、ヤスキハガネと呼ばれる世界最高品質の鋼鉄を生産し、製品は海外の有名剃刀《かみそり》メーカーでも使われている。その工場近くの汽水湖・宍道《しんじ》湖へと流れ込む一級河川・斐伊《ひい》川を上流へと遡《さかのぼ》っていけば、スサノオノミコトがヤマタノオロチの尾から天叢雲《あめのむらくもの》剣《つるぎ》を見つけたという奥出雲《おくいずも》町にたどり着く。斐伊川という名称自体、火の川、つまりたたらで燃える火にちなんだものといわれるが、この流域の土壌に豊富に含まれる砂鉄と、中国山地一円里山の木から製造され運ばれてくる木炭が、神代から綿々と続く鉄作りの基盤となってきた。

中国山地は、準平原とも呼ばれる浸食の進んだ地形だ。標高数百メートルのもこもこした山がどこまでも連なり、小さな谷が複雑に入り組む。雪も降るが東北や北陸のような豪雪地ではなく、険しい中部山岳地帯や紀伊《きい》山地、四国山地、九州山地に比べれば、まだしも棚田を造れる緩傾斜地が多い。このような地理条件から、無数の谷ごとに少数の人々が住み着いて生活を営んできたが、やがて彼らは、たたら製鉄という大口顧客に向け、目の前にある里山の雑木を切って大量の木炭を焼くようになった。時を経てその木炭は、日清戦争以降急速に発展した山陽筋（瀬戸内海沿い）の造船工業地帯の、労働者の生活をも支えるようになり、さらに関西にも販路を拡大していく。高度成長期以降に石油とガスと電気製品が普及するまでの里山は、現金収入を生む宝の山だったのだ。だから中国山地は、他の地方の山地に比べればずいぶん多くの人口を養うことができていた。

しかしエネルギー革命が木炭という現金収入の道を絶ってしまうと、もともと平地に乏しく大規模農業に向いていない場所だけに、人口は雪崩を打って山陽筋の工業都市へと流れた。中国山地でも特に林業専業の町という色彩の濃かった島根県益田《ますだ》市匹見《ひきみ》町（旧美濃《みの》郡匹見町）の人口を見ると、一九五五年には七五〇〇人を超えていたのが、二〇一〇年には五分の一以下の一四〇〇人。和田さんの住む広島県庄原市総領《そうりよう》町（旧甲奴《こうぬ》郡総領町）の人口も、同じ五五年間に五〇〇〇人から一六〇〇人へと三分の一以下になってしまった。北海道の炭鉱町並みか、それ以上の著しい減少率だ。いや中国山地の里山も炭鉱町と同じく、中東産の石油に負けた「産炭地」だったのだ。その里山で、木を資源として再評価する里山資本主義の、小さな狼煙《のろし》が上がり始めていることには、だから、格別の感慨がある。

地域振興三種の神器でも経済はまったく発展しなかった

ところで高度成長期以降の地域振興の三種の神器は、高速交通インフラの整備・工場団地の造成・観光振興だった。産炭地としての地位を失った中国山地は、これら特効薬の恩恵にはあずかれなかったのか？　実はそうでもない。中国山地の真ん中を貫く中国縦貫自動車道が、大阪から真庭《まにわ》市などのある岡山県北部を経て、広島県北部の庄原市・三次《みよし》市まで通じたのは一九七八年。岡山市、広島市など瀬戸内海沿いの人口密集地域を結ぶ山陽自動車道が全通した一九九七年の、二〇年近くも前のことだった。日本海沿いの山陰自動車道に、未《いま》だに全通の目途《めど》が立っていないことを考えても、中国山地はたいへんな優遇を受けたといえる。

今となっては多くの人が忘れていることだが、それぞれ一五〇万人前後の人口を抱える広島都市圏・岡山都市圏に高速道路がなく、人口一五万人程度の津山《つやま》・真庭地域や人口一〇万人程度の三次・庄原地域に先に高速道路が通じていた時代が、結構長く続いていたのだ。しかもその間には八〇年代後半の工場新増設ブームもあったし、バブル期のリゾートブームもあった。

中国山地へは、首都圏からも意外に近い。岡山空港は一九八八年、広島空港は一九九三年に、それぞれ市の中心部に近い海沿いから山の中へと移転したのだが、その結果、中国山地各地から羽田《はねだ》への航空アクセスが大きく改善された。たとえば広島空港から和田さんの住む庄原市総領町へ、岡山空港から銘建《めいけん》工業のある真庭市勝山《かつやま》へは、空港でレンタカーを借りればそれぞれ一時間余りで着く。羽田から東京の多摩《たま》地域各所に行くのと同程度の時間だ。だがそのこと自体、地元においてさえ話題にのぼることもない。

というのも結局、地域振興の三種の神器をもってしても、中国山地の経済はまったく発展しなかったからだ。工場誘致はある程度まで進んだが、若者の流出は止まらず、観光地としても注目されないままだった。中国縦貫道の大半が開通した後の一九八〇年と二〇一〇年を比べても、中国山地（ここでは山陽本線より北、山陰本線より南にある一二市二〇町村を合計）の人口は一七％も減っている。中国五県全体の人口がほぼ横ばいであるのに比べれば、退潮は明らかだ。そもそも中国五県自体、高齢化率が二五％（四人に一人が六五歳以上）と、全国の地方では東北や四国と並んで高齢化が進んでいるのだが、中国山地一二市二〇町村の数字は三四％（三人に一人が六五歳以上）で、さらに深刻さが増す。道路の発達により一時間台で広島や岡山や福山といった大きめの都市に出てしまえるようになった距離の近さが、地元志向の若者をも、それら手近の町に吸い寄せてしまった面もある。

今の中国山地に残っているのは、誘致工場に働く少数の人たちと、先祖代々の家と耕地を守る兼業農民（その多くが高齢者）。減っていく人口を相手に縮小均衡を続ける建設業・商業・サービス業の従業者、それに広域合併で一気にリストラが進む自治体職員だ。平成の大合併で一市六町が統合された庄原市の面積は、神奈川県（人口九〇〇万人）の半分に匹敵するが、住んでいるのは全部で四万人。旧九町村が合わさった真庭市も東京二三区（人口九〇〇万人）の一・三倍の広さだが、住民は五万人弱しかいない。

最近各地で盛んな農産品のブランド化も、耕地が狭く大市場に安定供給を続けられるほどの供給力が乏しいこともあって、余り進まない。自然景観などの観光資源も、良く言えば玄人好み、ありていに言えば地味すぎて、体験型観光などの新たな観光産業も多くの場合根付いていない。

逆説的だが、ここまで悪条件が揃えばこそ、「過疎を逆手にとる会」の活動が息長く続き、全国に先駆けて木質バイオマス燃料の使用が普及する地域が生まれ、地元に残った有志の間の見えないネットワークがどんどん拡大し始めたともいえる。マネー資本主義の恩恵を地域に呼び込む二〇世紀型の装置である、高速道路だの誘致工場だのが機能しないことを、全国に先んじて思い知らされずには済まなかったからこそ、里山資本主義が二一世紀の活路であることに気付く人々が最初に登場し始めたのだ。

全国どこでも真似できる庄原モデル

庄原の和田さんの同級生は、二人を除いて、旧総領町の外に出て行ってしまったという。先祖代々の田畑を耕しつつ、町役場の仕事もしてきたが、いわゆる都市的な楽しみというようなものはない場所だ。幹線道路から離れていて、通過する車すらもない。変哲もない里山と、畑の僅《わず》かな実りと、人間のつながり以外に、遊びのネタもなかった。だがそれゆえに少ない仲間を誘って、とことん里山を、田舎を楽しみ倒してやろうという生き方が編み出された。その周りに集う面々の個性が面白い、ささやかな山の実りがおいしい、木を活《い》かした暮らしのスタイルがうらやましい、それが理由でまた呼び寄せられる人が増えてくる。面白くもないと思ってきた里山の価値を、都会人からさんざんに褒めちぎられる経験を重ねて、ようやくどこが都会から見て魅力的なのか、かんどころもわかるようになってきた。そうした積み重ねの中から、自分たちが捨ててきた身の回りの資源を見直して、もっと有効活用しようという取り組みも湧き出てきた。

和田さんも、お金を稼ぐし使っている。そもそも長年役場の仕事もしてきたし、年金も受け取るだろう。肉も魚も服も買えば、農業用資材も買うし、車にも乗るし、電気も使う。だが、雑木を煙も出さずに完全燃焼させるエコストーブ（見かけはどこのガソリンスタンドでもゴミ箱として使っているような石油缶だが）や、ピザを焼く薪窯《まきがま》のおかげで、使っている燃料代は都会人よりはずいぶんと少ない。良質な水もタダだ。先祖代々の家は折々に補修が必要だが、家賃はかかっていない。最近の猪はどんぐりも食べ放題なようで、イベリコ豚も顔負けの味の猪鍋《ししなべ》に化ける。仮に庄原市民全員が和田さんのような暮らしを始めたとしても、この広さにこの人口では木も水も農地も余るほどあり続けるだろう。

和田さんは、人間幸学研究所所長を名乗り、「所長取締役」の奥様（所長より偉いと推測される）と一緒に、元気な仲間を集めて次から次へと面白いことを仕掛けている。ネットは使わないので、彼が仲間と何をたくらんで何を楽しんでいるのかは毎月出しているニュースレターを購読するか、実際にオンサイトで参加しないとわからないのだが、総じて能動的で、文句ではなく志がほとばしり、言葉だけでなく（和田さんは湧き出てくる造語も本当に面白いのだが）動きにも満ちている。生み出されている活力を、使っているお金で割ったとすると、実に効率がいい。

和田さんを核にしたネットワークが広がる中で始まった、地元で取れた半端物の野菜を地元の老人向け福祉施設の食材として有効活用する取り組みなどは、マネー資本主義の死角を見事に突いている。地元農家はこれまで、マネー資本主義の中では市場価値のない半端な農産物を捨て、地元福祉施設はこれまで、地域外の大産地から運ばれてきた食材を買って加工していた。全国レベルで見れば効率のいいシステムかもしれないが、地域レベルで見れば外へお金が出て行くだけの話だ。ところが捨てていた食材を地元で消費するようになれば、福祉施設が払う食費は（少なくとも輸送費がかからない分）安くなり、しかも払った代金は地元農家の収入となって地域に残る。農家の収入が増えるだけでなく、関係者にやる気も出るし、無駄も減る。地域内の人のつながりも強くなる。

全国レベルで見ればマネー経済が縮小したという現象なのだが、地域レベルで見ればこれは、活性化以外の何物でもない。しかもこの取り組み、農家があって福祉施設があるところなら、つまり東京や大阪の最都心部以外であれば、全国どこでも真似できる。

日本でも進む木材利用の技術革新

真庭の中島さんを中心としたエネルギー地産地消の取り組みも、全国レベルで見れば微々たるものだ。そもそも中国地方は原発を止めても電力が余っている地域なので（震災以降の関西の電力不足も、周波数が同じ中国地方からの送電で十分に回避することができた）、真庭のペレット発電は全体から見れば重複投資に過ぎないとも言える。だが真庭という地域にとっては、お金を払って廃棄物として引き取ってもらっていた木くずが燃料に化ける分、地域の外の誰かに払っていた油代が節約できる。そもそもその油代は、遠く中東の産油国まで流れていってしまうお金だったかもしれないと考えると、この行為は全国にとってもありがたい話だ。そして地域内で生産されるペレットの流通は、これまた地域の中の関係者のつながりを強める。そして、ペレットという新たな用途の登場は、衰退する一方だった林業の将来にも、かすかだが明るい光を投げかける。先進地としての視察の増加も、ささやかだが地域を元気にする。

いま全国の観光地では、地元産食材に徹底的にこだわった料理の提供が求められるようになって来ているが、土や水だけでなく生産に使った燃料まで地元産という農産物、調理に使ったエネルギーまで地元産という食事には、さらに付加価値がつくかもしれない。夢は広がっていく。

ただし注意しなければならない点がある。ペレットによる発電は、製材屑の再利用としては十分採算に乗るものだが、新たに木を砕いて木くずにしてからペレットを製造するというコストまではまかなえないということだ。ということでペレット発電は、今のコスト構造が続く限り、全国で問題になっている間伐材の有効利用策にもならない。真庭に倣ってペレット発電に取り組む地域は全国に幾つかあるが、多くは補助金頼みで、自立した経済システムとしては仕上がっていない。

真庭のすごさは、地域のエネルギーのかなりの部分をまかなうことのできる量の製材屑が出るというところにある。これは中島さんの経営する銘建工業が、不況産業の最たるものである木材加工という分野において例外的に、競争力ある企業として成り立っているゆえだ。

なぜ成り立っているのか。現役世代人口の減少に伴って需要が減っているうえに外国産材との競争にさらされている木造住宅用の柱や板ではなく、センスのいい現代建築に使われる集成材のメーカーとして技術を磨き、販路を全国に開拓してきたからだ。東京からは行きにくい場所の例で恐縮だが、建屋はもちろんボーディングブリッジまで木造の北海道の中標津《なかしべつ》空港、高架化を契機に木造アーチの美しいホーム屋根を持つようになった高知駅や宮崎県の日向《ひゅうが》市駅、このあたりをご覧になったことのある方は、集成材を多用する最新の建築物の美しさと温かみをご存知だろう。最近は、改築された小学校や新しくできた小さなホールなどに、集成材がセンス良く使われている町も多い。

集成材は、細く切った木の板を格子状に張り合わせ大きな材木のようにしたものだ。同じサイズの自然木はもちろん鋼材に比べても、曲げる力に強く、何百年経っても腐食しない。鋼材よりもはるかに軽いし、知られていないが防火性も高い。というのも多量の空気を含んでいて断熱性が高いので、炎にさらされても片面が焦げるだけで、もう片面は常温のまま。だから、間に集成材の仕切りが入っている建物では火が燃え広がらないのだ。対して鋼材は、熱をよく伝えるうえに溶けて曲がってしまいやすい。中島さんによれば、ニューヨークの貿易センタービルも骨組みが鋼材ではなく集成材だったなら熱では溶けなかったので、ああいう具合には崩落しなかったと言う。

このような木材利用の技術革新が、日本の多くの建築物で活かされていないのは残念だが、逆に言えば今後の普及次第では、全国の木材産地に「真庭化」の道が開けることになる。

たまたまこの本ではこれまで、広島県庄原市と岡山県真庭市だけを取り上げた。後半では島根県邑南町《おおなんちょう》や山口県周防大島町《すおうおおしまちょう》も紹介するが、これらは大きな流れを構成する一部に過ぎない。中国山地に限っても、「のがれの町」を名乗って都会人の移住を促進する鳥取県智頭《ちづ》町、世界遺産・石見《いわみ》銀山として有名になったが、世界とつながる小さな企業群が歴史的な町並みの中にひそかに立地していることでも知られる島根県大田市大森《おおだ》地区、全国相手に通販を行う書店が東京から移転してきた島根県川本町など、素晴らしい事例がまだまだたくさんある。全国に視野を広げればなおのことだ。

ほとんどの都会人や、都会に集中する日本のマスコミが気付かないところで、静かだが確実な変化が進行している。これに気付いていると気付いていないとでは、二一世紀の日本に生きていることを、楽しめるかどうかがまるで変わってくると言ってもよいだろう。

オーストリアはエネルギーの地下資源から地上資源へのシフトを起こした

里山資本主義は近代化に取り残された過疎地だけの専売特許ではない。人口一〇〇〇万に満たない小国ながら一人当たりGDPで日本を上回るオーストリアでは、国を挙げた木質バイオマスエネルギー活用が進みつつある。それも東西冷戦が終結して以降、過去十数年の間の劇的な変化だ。

日本人はすぐに国難だの厳しい国際競争だのと言いたがる。だがオーストリア人の身にもなって考えて欲しい。古くは神聖ローマ帝国の中核国家として、その消滅後もオーストリア＝ハンガリー帝国を名乗って、今の何倍もの版図を有する欧州の大国だった。しかし第一次大戦の敗戦国となって帝国は解体、第二次大戦ではよりによって自国出身のヒットラーが率いるドイツに真っ先に占領されてしまった。日本周辺で最近流行の領土問題にしても、住民が追い出された北方領土を除けば、無人島に関する争いだ。対してオーストリアは、大国としての地位のみならず、首都ウィーンの鼻先にある地続きの領土までも失ってきた。

それでもオーストリアは、冷戦の間は、旧ソ連圏に向かってくちばしのように突き出した位置から、鉄のカーテンに開いた僅かな穴として（いわば日本の鎖国時代の長崎のように）東西欧州の交易拠点になっていた。しかしベルリンの壁の崩壊でそうした特異な地位も失われてしまった。

歌舞伎や文楽、浮世絵といった日本独特の文化が花開いていた江戸時代、オーストリアではワルツや交響楽、オペラといった欧州文化の粋が花開いていた。カフェでコーヒーを飲む習慣も、フランス料理の原形となった料理文化もこの時期のオーストリア発祥だったし、二〇世紀初頭にはクリムトに代表される画壇が華やかだった。時は流れ、日本発のカジュアル文化、たとえばマンガやアニメ、カワイイ洋服、映画に絵画、それに日本食は、引き続き世界に評価され発信されている。

しかしオーストリア発の現代文化と言われると、女性に人気のスワロフスキーのクリスタルガラス製品以外、ちょっと具体名は思いつかない。チロリアンやチロルチョコは福岡県の産品だし、戦後の一時期日本でも絶大な人気を誇ったトニー・ザイラー以降、有名人も出ていない気がするというと失礼だろうか（出身者としてはアーノルド・シュワルツェネッガーがいるが、有名になったのは渡米してからだ）。

だが、そのように歴史的に見れば停滞・後退を重ねてきたオーストリアは、にもかかわらず質的にも金銭的にもとても豊かな生活の営まれる、美しい民主主義国だ。すぐ隣の旧ユーゴスラビアの内戦も終わり、ようやく有史以来？　の完全な平和を満喫している。そしてそこで、前章に書かれたとおり、まさに世界最先端の技術を用いた、木質バイオマスエネルギー革命が起きつつある。

オーストリアは日本同様に、いや石炭も出ないだけに日本以上に化石燃料資源に恵まれていないばかりか、内陸国なので中東から来た巨大タンカーが横付けできる港もない。原発は稼働前に自ら封印してしまった。にもかかわらず、いやそれ故に戦略は絞れており、自然エネルギーで行くという推進姿勢に揺らぎはない。エネルギーの安定なくして国際経済競争には勝てないというのは、原発再稼働を望む一部日本人に共通の意見だが、日本以上に条件不利なオーストリアで国産自然エネルギーの活用がどんどん進んでいるという事実にも、もっと目を向けてもらいたい。

人口一〇〇〇万に満たない小国だからできることだと考える方も、東京や大阪はともかく、オーストリアと同等以上の森林資源に恵まれ人口規模も類似している北海道、東北、北関東、北陸甲信越、中四国、九州などで同様の路線を追求することは不可能なのか、よく考えてみるべきだ。できないはずはない。

ただ、ここでも真庭と同じ問題を指摘せねばならない。オーストリアで木質バイオマスエネルギーが急速に普及しているのは、ペレットにできる製材屑が豊富にあるためだ。つまり、集成材による建築が急速に広まっているからこそ、地下資源から地上資源（＝木）へのエネルギーのシフトも実現できている。現地視察を重ねている中島さんの話では、石造りの町というイメージの強いウィーンも、昔は木造建築が主流の町だったそうだ。産業革命以降木を切りすぎて、木材がなくなったので石造りの町並みへと移行してきたのだが、最近は温《ぬく》もりある木造建築への回帰志向が強まっているという。日本と違って消防法や建築基準法の改正が進み、中高層の集合住宅への集成材の利用も可能になった。最近は九階建ての木造マンションまでできているらしい。だから林業が復活し、大量の木くずも発生する。真庭のところでも述べた、集成材の耐久性、防火性を考えれば驚く話ではないのだが、日本の法制度の下ではその実現はまだまだだ。

石灰石鉱山の多い日本では、セメントが唯一自給できる鉱物資源であるということ、鉄鉱石は自給できないにもかかわらず世界有数の製鉄国であるということも、法制度の壁以上に集成材建築の普及を妨げている要因であるかもしれない。とりわけ建築に使う鋼材は、電炉会社が国内で発生する廃材をリサイクルして製造しているため、その利用はある意味ではエコフレンドリーでもある。それに加えて欧米では余り見られない「新建材」の開発が進められてきたことも、木材を使わない森林国・ニッポンの今を形作ってきた。つまり、これから日本で集成材の利用を増やして木くずを生み、木質バイオマスエネルギーを普及させて自然エネルギー自給率を高めることは、日本経済の安定性を高めることは間違いないのだが、多くの産業の既得権を侵害することでもあるのだ。

ではあきらめるべきなのか？　そんなことはありえない。国全体として化石燃料代で貿易赤字に陥っている日本では、一部産業の既得権を損なってでも、自然エネルギー自給率を高めることが重要だ。その先には、同じく化石燃料代の高騰に苦しむアジア新興国に向けての、バイオマスエネルギー利用技術の販売といった、新たな産業の展開までもが期待される。

だが、既得権がよってたかって政策を骨抜きにしてしまうのはこの分野だけの話ではなく、国全体としての方向転換は一朝一夕には行かないだろう。だからこそ、市町村単位、県単位、地方単位での取り組みを先行させることが、事態の改善につながっていく。セメントや新建材のメーカーだって、自分の工場のある県での木造建築増加の取り組みには、新分野進出の模索だということで協力するかもしれない。

日本では、国にできないことを先に地方からやってしまうことが、コトを動かす秘訣《ひけつ》なのだ。地方ごとに、人口規模では大差ないオーストリアになったつもりになって、彼《か》の地の取り組みに学んでいくことが、大事なのではないだろうか。

二刀流を認めない極論の誤り

前にも述べたとおり、われわれの考える「里山資本主義」とは、お金の循環がすべてを決するという前提で構築された「マネー資本主義」の経済システムの横に、お金に依存しないサブシステムも再構築しておこうというものだ。最初の動機はリスクヘッジかもしれない。何かの問題でお金の循環が滞っても、水と食料と燃料が手に入り続ける仕組み、いわば安心安全のネットワークを、予め用意しておきたいという思いが、里山資本主義への入り口となる。しかし実践が深まれば、お金で済ませてきたことの相当部分を、お金をかけずに行っていくことも可能になってくる。生活が二刀流になってくるのだ。

このような仕組み、高度成長期に置き去りにされた里山や離島などに綿々として続いてきた生き方は、日本の公の場での経済議論、たとえば政府の経済政策の中では、どうしていつも無視されているのだろうか。日本人の生活において里山資本主義の担っている部分が、マネー資本主義の担っている部分に比べて、無視できるほど小さいと思われていることもあるかもしれない。

だが、それだけではないだろう。里山資本主義という考え方自体が、マネー資本主義を支える幾つかの基本的な前提に反する部分を持っていること。里山資本主義の根底に、マネー資本主義の根幹に逆らうような原理が流れていること。これが政府内の経済運営関係者に、なんとも言えない違和感を覚えさせるからではないだろうかと、筆者は感じている。

高校で習ったのを覚えておられる方もいるだろう、「矛盾する二つの原理をかち合わせ、止揚《アウフヘーベン》することで、一次元高い段階に到達できる」という考え方を、弁証法という。この弁証法的思考を生んだのが、ドイツ語文化圏だ。そこに属するオーストリアで、マネー資本主義的な経済成長と同時に、里山資本主義的な自然エネルギーの利用が追求されていることは、むべなるかなと言える。対して日本人は、内田樹《たつる》いうところの「辺境民」であるせいなのか、海外から輸入された単一の原理にかぶれやすい。こういう考え方では、マネー資本主義に一度手を染めたら最後、里山資本主義などというものは一切認めてはいけないことになる。逆に、里山資本主義で行くのであれば金は一切使うなというような極論も出てきやすい。

飛鳥《あすか》時代の律令制度、奈良時代の仏教、建武《けんむ》の新政のバックにあった朱子学、明治の文明開化、昭和初期の軍国主義、終戦後のマルクス主義に、石油ショック以降のケインズ経済学。いずれもその当時の国内のトレンド？　を短い期間ではあるが一色に染め上げた。平成になってのマネタリスト経済学（貨幣供給量を重視する、今の近代経済学の主流的学説）の隆盛をみると、どうもまた同じことが繰り返されているように感じる。

落ち着いて歴史を眺めると、一瞬極端に高まる外来の極論への熱狂は、いずれは現実を突きつけられて幻滅に変わり、輸入原理はその後時間をかけて日本流に変容していくのが常だ。律令の枠外に武士が生まれて実権を握り、奈良の大仏から五〇〇年を経て鎌倉仏教が勃興《ぼっこう》し、江戸時代に武士道や商人道と融合した和製儒学が発達したように。あるいは資本家層を支持基盤とした自民党長期政権が、マルクス主義者のお株を奪って国民の福利厚生充実と地域間格差是正を掲げたように。大戦時の軍事のごとく、明治の導入当時の合理主義を失い、鵯《ひよど》越《ごえ》的な奇襲攻撃志向と、現場の兵士に死の覚悟を強いる精神主義と、中枢幹部の傷の舐《な》めあいが主導原理となってしまって滅びてしまったという、日本化による失敗例もあるけれど。

しかしながら、小泉改革の頃から隆盛になり始めたマネタリスト経済学は、まだむき出しの輸入原理のままだ。よく聞くと、「中央銀行による貨幣供給量の調整で景気は上下いかようにでもコントロールできる」というような、最盛期の旧ソ連においてもおいそれとは語られていなかったであろう、究極の国家計画経済が実現できるようなことを唱える輩《やから》も混ざっている。だが、歴史に学んで今後の展開を考えれば、日本でも早晩、何度かの痛い失敗を経てではあろうが、米国直輸入のマネタリスト経済学がそのままでは通用しないことが一般に自覚されるようになるだろう。

声高に「マクロ経済学を本当に理解しているのは自分だ」「いや自分こそが本物の理解者だ」と叩《たた》きあっているような層も、そうなれば別の輸入原理に目移りしていく。かつてマルクスの真の理解者たる自分を誇り合った輩が、いつのまにか転向して行ったように。その先には、現実に沿った日本化の変容が待っている。いやもう始まっている。里山資本主義の内包するマネー資本主義へのアンチテーゼが、そのような変容を促す力の一つとして作用することは間違いない。

「貨幣換算できない物々交換」の復権——マネー資本主義へのアンチテーゼ①

そのような今後の展開を先取りして、里山資本主義の内包するマネー資本主義へのアンチテーゼを、幾つか列挙しておきたい。そしてこの矛盾の先にどのような止揚《アウフヘーベン》が起きるのか、興味津々に見守っていこう。

里山資本主義がマネー資本主義に突きつけるアンチテーゼの第一は、「貨幣を介した等価交換」に対する、「貨幣換算できない物々交換」の復権だ。物々交換で成り立ってきた原始的な社会が、貨幣経済社会に移行すると、一気に取引の規模が拡大し、分業が発達し、経済成長が始まる。この原理そのものはその通りなのだが、マネー資本主義に対するサブシステムである里山資本主義では、貨幣を介さない取引も重視する。ちなみに物々交換にも二通りある。デパートからお歳暮を贈り合うといった、貨幣で買った物品の交換と、貨幣で買ったのではないものの交換と。ここで言っているのは後者だ。

たとえば和田さんが、ＮＨＫという字を浮かび上がらせたカボチャを贈って井上プロデューサーの心を奪ってしまったことがあげられる。自家製のカボチャを一方的に贈っただけとも言えるが、実は対価としてＮＨＫ広島の関心を引き出した。これはいったい何円に相当する取引なのか、そもそも等価交換なのかまったくわからないが、何か底の知れない価値が交換されたことは確かだ。かく言う私も、「志民になろう」という味わい深い言葉の入ったカボチャをいただき、「過疎を逆手にとる会」を支える一員の端っこに入りたくなって、支援金ならぬ「志援金」を送金した。この場合には、自家製のカボチャが数千円に化けたことになるが、これが等価交換なのかどうなのか。そもそも和田さんたちは、お金よりも「志援者」が増えた（ネットワークが広がった）ことの方を喜んでいることだろう。

和田さんのニュースレターには「志援金を払っても何の見返りがあるとも思えませんが、大物になった気分にはなれます」とあったが、まあ大物気分になれさえすれば、当方としてもそれが幾らだったかなんてことはどうでもいい。

中島さんの場合はどうか。お金を払って製材屑を引き取ってもらい、他方で電力を買っていた今までのやり方を、自分で木くずを燃やすことで発電するのに切り替えたということは、結局自社内で木くずを電力に物々交換したわけだ。その結果、億円単位の取引が消滅してしまった。その分、貨幣で計算されるGDPも減ってしまったことになる。だが真庭市の経済がこれで縮小したわけではない。市外に出て行ったお金が内部に留《とど》まるようになっただけだ。

このように物々交換というのは奥深い。特定の人間たちの間で物々交換が重ねられると、そこに「絆《きずな》」「ネットワーク」と呼ばれるものも生まれる。このネットワークがまた、いざというときには思わぬ力を発揮したりする。とはいっても結局金銭換算できない話なので、幾ら交換がされようと、絆が深まろうと、GDPにはカウントしようがない。だがそうだというだけで、その価値を否定できるものだろうか。

高校時代の漢文の教科書にあった荘子《そうじ》の一編を思い出す。「混沌《こんとん》」というのっぺらぼうのような生き物の挿話を。厚意で混沌に目と鼻と口と耳を開けてやったら、意に反して混沌は死んでしまった。何が何だかはっきりしないことを、はっきりさせようと作為することで、逆に価値を損ねるということもあるのだ。日本がまだ縄文時代だった頃に、恐らくそれまで一〇〇〇年以上の文明の試行錯誤を経て中国の先賢がたどり着いたこの教訓を、現代日本人も改めてかみしめてみてはどうだろうか。

規模の利益への抵抗――マネー資本主義へのアンチテーゼ②

里山資本主義がマネー資本主義に突きつけるアンチテーゼの第二は、「規模の利益」への抵抗だ。なるべく需要を大きくまとめて、一括して大量供給した方が、コストは下がり無駄は減り経済は拡大する。この規模の利益の原理こそ、現代経済社会をここまで大きくし最大多数の最大幸福を実現した根本思想なのだが、何とまあそれに対して、「里山で個人個人が木を燃やし農産物を育てて暮らす方がいい」なんて言い出すのだから、ふざけている。里山の住人が数十万円で小型車を買えるのも、規模の利益の原理に則《のっと》った大量生産販売の結果ではないか。

だが、地元で取れた市場に出せないような野菜を地元福祉施設で消費するという、およそ規模の利益から外れたような営みが、前に述べたように地域内の経済循環を拡大し、さらには金銭換算できない地域内の絆を深めているという事実もある。車はマネー資本主義に依存してお安く買わせていただくが、食料と燃料に関しては自己調達を増やそう。このいいとこ取りのご都合主義こそ、サブシステムたる里山資本主義の本領だ。それどころか燃料代を節約した分、もう一台軽トラックを買うかもしれない。

それだけではなく、規模の利益の追求には重大な落とし穴がある。規模の拡大は、リスクの拡大でもあるということだ。システムがうまく回っている間はいいが、何か齟齬《そご》が生じると、はるか広域にわたって経済活動が打撃を受ける。震災時の東日本の電力など、その典型だった。はるか彼方《かなた》で一括大量生産された電気に頼っていた首都圏の営みは、津波と原発事故によって一瞬にして凍りついたのだ。だが、計画停電の最中でも、あるいは場所によっては一週間も一ヶ月も電気が止まっていた北関東以北の被災地にあっても、ガス発電システムやソーラーシステムを自宅に取り付けていた家にだけは灯《あか》りがともっていた。規模の利益に背を向けた、平時には非効率なバックアップシステムが、見事に機能したのだ。和田さんからエコストーブのノウハウを伝授されて、化石燃料も電力もない生活を雑木利用でしのいだ面々もいた。

震災時の仙台では、電力や水道はかなり迅速に復旧して行ったと聞くが、道路の被災にガソリン不足もあって、物流システムは一週間程度、麻痺していた。だが店頭に食料がなくなっても、多くの家庭が急場をしのぐことができたという。親戚《しんせき》の誰かに農家がある住民が多く、そういう家では秋に一年分の新米をもらっていたので、少なくともカロリーだけは取ることができたというのだ。より大きな規模の利益を目指して、取れただけ市場に出荷するということをせず、一部を金銭化せずに親戚の間で分け合うというような習慣が、結局震災リスクをヘッジした。

東京で同じような物流網麻痺が起きたらどうだろうか。何でもお金で買うという習慣しかないマネー資本主義の体現者のような首都圏民は、全員がうまく食べつないで行けるのだろうか。里山資本主義的な要素を徹底的に削って、規模の利益の拡大に邁進《まいしん》していくと、どこかでツケを払うときがくるのではないだろうか。

分業の原理への異議申し立て――マネー資本主義へのアンチテーゼ③

そして里山資本主義がマネー資本主義に突きつけるアンチテーゼの第三は、リカードが発見した分業の原理への異議申し立てだろう。分業の原理とは、個人個人が何でも自前でしている社会よりも、各人が自分のできることの中で最も得意な何か一つ（比較優位のある分野）に専念して、その成果物を交換する社会の方が、効率が上がり全体の福利厚生も増すという、何とも含蓄のあるセオリーだ。

ところがこの現代経済社会の根幹を成す原理に対して、里山資本主義の実践者は、ドン・キホーテのように挑む。和田さんとその仲間を見ていると、薪も切れば田畑も耕す。少々の大工仕事は自分でこなすし、料理もお手の物。観光事業者のようなこともすれば、通販事業者まがいのこともあり、あっちとこっちをつなぐイベントプロデューサーのようなこともする。場合により講演までして歩く。一人多役なのだ。どれ一つとっても、それだけを専業にする人にはかなわないかもしれないが、でも合わせ技一本でしのいでしまう。

リカードが見たら過去への退行と思うかどうか知らないが、でも実はこれが意外に効率的なのだ。バレーボールや野球で、エアポケットのように誰の守備範囲にもなっていないところにポトンとボールが落ちることがあるが、一人多役で補い合っているとそういうことがない。いつも同じ誰かだけが忙しくなるということもない。熟練してくると、専門家一〇人でやることを、要領のいい一人多役の人間五人で済ませてしまう、というようなことが起きる。

つまりリカード的分業は、各自の守備範囲を明確に区分けすることができて、かつその守備範囲に重複がなく空白部分もできない、という条件が整った場合にはセオリー通りに有効なのだが、実際の仕事はなかなかそう簡単に割り切れない、もう少し複雑な構造になっているということなのだ。

そのため現実社会では、ヘタに分業を貫徹しようとすると、各人に繁閑の差が出たり、拾い漏れが出たりする。世界で最も効率がいいと思われる、日本のコンビニエンスストアの店員の働き方を見るとよい。お客に対応する傍らで、倉庫から品物を出して来たり、商品棚を整理したり、トイレを掃除したり、ゴミ箱の中身を片付けたり。少数のスタッフが一人多役をこなして効率を上げている。さらには彼らの多くが、学生だったり主婦だったり劇団員だったり、店の外にもやることを持っている人たちだ。

実は里山資本主義的な一人多役の世界は、マネー資本主義の究極の産物ともいえるコンビニエンスストアの中にも実現していたのだ。逆に言えば、庄原市の里山もコンビニエンスストアなみに侮れない。

中島さんの銘建工業も、集成材メーカーであるはずが、発電事業者でもあり、木質ペレットの製造・販売・輸出事業者でもある。視察を受け入れて地域の温泉の顧客を増やすところは、観光プロモーターのようでもある。どの事業も規模は大きくはない。だが、一社多役のどこにもないミックスは、組織に大きな活力を与えている。彼らだけではなく、筆者が全国で出合う活力ある中堅・中小企業や、特色ある個人事業者は、むしろ一事業者多事業であるのが当たり前だ。

このような事実と、経済学の諸セオリーの中でも特にパワフルな分業の原理と、相容《あいい》れないようにも思えるものがどのように止揚《アウフヘーベン》されるのか、今後の展開は楽しみというしかない。

里山資本主義は気楽に都会でできる

以上のような里山資本主義の話、お読みになった方はどう思われるだろうか。「田舎の資源を活かして楽しそうな暮らしをしている人がいるんだな」、というレベルで受け止められてしまうことが多いのかもしれない。だがそれだけだと、田舎暮らしを紹介するテレビの人気番組を見てちょっといい気分になったというのと同じだ。かといって、皆が都会を飛び出して田舎に移り住むというのもまったく現実的ではない。やれる人はぜひやったらどうかと思うけれども、ほとんどの人はそうもできないだろう。

だが、〇か一かで考える必要はない。里山資本主義はたおやかで、猛々《たけだけ》しく主張することはないけれども一応「主義」なので、里山で暮らしていない圧倒的多数の日本人の心の中にも、きちんと居場所を見つけることができる。都会の生活者であっても、里山も畑も身近にまったく存在しなくとも、今の生活をちょっとだけ変えて、ささやかな実践をすることは可能だ。

たとえば、多くの人がやっていることだと思うが、普段何気なくやっている食品や雑貨の買い物の際に、敢《あ》えて「顔の見えるもの」、どこか特定の場所で特定の誰かが地元の資源を活かして作っているものを選んでみる。あるいは経営している人の顔の見える小さな店に、敢えて足を運んでみる。少し高いかもしれないが、そこは「大物になった気分で、何の見返りがあるともわからない志援金を払ってみる」というのはどうだろうか。いつもは黙って買い物をしている人であっても、たまには店の人と会話してみるというのもよい。お金でものを買うという行為にくっつけて、ささやかに笑顔やいい気分を交換しておくと、ささやかな絆が生まれるかもしれない。

あるいはどこかに出かけたときに敢えて、その土地の材料を使ってその土地で作られた土産を探して買ってみる。同じような全国チェーンの店に寄ったとしても、その地方にしかないローカルな品物が置かれていたりするので、敢えてそういうものを選んでみる。旅先の飲み屋では、敢えて地ビールや地酒ばかりを注文してみる。口に合わないものもあるかもしれないが、そこは大物になった気分で、「志援金を払ってやった」と思っていればいい。

人に何かを贈るときに、「相手の好みがわからないので全国どこにでもある定番商品を」なんて思わずに、自分の町、できれば自分の隣近所でしか手に入らないものを選ぶ。自分の手作りなら最高だ。最近東京の銀座のビルの屋上で、地元有志の作ったNPOがミツバチを飼っている。そのハチたちが近所の並木や日比谷《ひびや》公園の花から集めた蜂蜜《はちみつ》は、銀座のオリジナルの地産地消品として人気となり、老舗《しにせ》洋菓子店でもその蜂蜜を使ったケーキが飛ぶように売れている。世界から一流品の集まる銀座ですらそういうことが起きているのだから、皆さんのご近所でも、何か必ず「ここにしかないもの」はあるはずだ。

そうこうしているうちに、都市部であっても近所に空き地が増えてくるかもしれない。空き地が増えるなんて不景気な話のように思えるかもしれないが、実は景気には関係ない。多年少子化が進んだ日本ではいま、一年に一％のペースで六四歳以下の人の数が減っている。だがそれに応じて国土が縮んでいくわけではないので、土地も家も年々、空いたところが多くなっているのだ。そういう空き地は、最初は一〇〇円駐車場に、一〇〇円駐車場が成り立たないところでは月ぎめ駐車場になることが多いのだが、そのうち月ぎめ駐車場もそんなにいらないというところまで来ると、放置されたままの状態となってしまう。そんな土地を持て余している人が身近にいたら、思い切って話をして、一時的に借りて畑にしてはどうだろう。

家を買わずとも賃貸や親との同居でなんとかなってきた人。もし将来の住宅購入の頭金が用意できているのであれば、思い切って田舎にセカンドハウスを買ってはどうだろうか。いやその前に何年か、試しに縁のあった田舎に家を借りて通ってみて、本当に気に入れば物件購入まで進めばよい。東京よりもずっと味の濃い農産物やおいしい水や空気が、こんなに安い値段で手に入るのかと驚くだろう。家の手当てまではいかなくても、農地だけ賃借して週末農業に通うという手もある。

以上いろいろ挙げてきたが、後の方の難度が高いものほど、何から手をつけたらいいかわからない人相手に何かしらの支援をしてくれる企業やＮＰＯやサークルが続々立ち上がっている。雑誌も書籍も、ネット情報も豊富だ。これは二一世紀になってからの日本の大きな変化であり、しかも東日本大震災以降、流れはどんどん大きくなってきている。きまぐれなお試しから始めて、深入りしたい人は深入りできる、イヤになったらいつでも手を引けるような、気楽なシステムが年々できあがりつつある。利用してみてはどうか。

あなたはお金では買えない

「里山資本主義はいい話なので、政府の補助金を使ってどんどん推進して欲しい」という人がいるかもしれない。筆者はそうは思わない。

日本でもインターネットの利用が、ある時点から爆発的に増えて、何かの事業者であればホームページを持つのが当たり前になり、ブログを持つ個人が増え、さらにフェイスブックだ、ツイッターだとハードルの低い仕組みが登場してきた。これは、補助金を配ったから利用者が増えたのではない。参加することが面白いから、何かの満足を与えるから、多くの人が時間と労力を割くようになったのだ。使わない人は使わない。それどころか気付いていない人は気付いていてもいないが、強制される必要もない。本当の変化というのはそのようにして起きるものだ。そして筆者は、里山資本主義の普及も、ネット初期のような段階にまで達してきているのではないかと感じている。面白そうだから、実際にやってみて満足を感じるから。そうした実感を持つ個人が一定の数まで増えることで、社会の底の方から、静かに変革のうねりが上がってくると思っている。

というのも、里山資本主義を一足先に実践している人は、本当に面白そう、満足そうなのだ。なぜなのか。実は人というものの存在の根幹に触れる問題が、マネー資本主義対里山資本主義の対立軸の根底にあるからだ。マネー資本主義は、やりすぎると人の存在までをも金銭換算してしまう。違う、人はお金では買えない。あなただけではない。親も子どもも兄弟も買うことはできない。本当にお互いに寄り添えるような人生の伴侶《はんりょ》も、買って来るものではない。あなたの親や子どもや伴侶にとっても、あなたはお金に換えられるものではないはずなのだ。

ところが、マネー資本主義に染まりきってしまった人の中には、自分の存在価値は稼いだ金銭の額で決まると思い込んでいる人がいる。それどころか、他人の価値までをも、その人の稼ぎで判断し始めたりする。違う、お金は他の何かを買うための手段であって、持ち手の価値を計るものさしではない。必要な物を買って所持金を減らしても、それで人の価値が下がったわけではないし、何もせずに節約を重ねてお金だけを貯め込んでも、それだけで誰かがあなたのことを「かけがえのない人だ」とは言ってはくれない。そう、人は誰かに「あなたはかけがえのない人だ」と言ってもらいたいだけなのだ。何を持っていなくても、何に勝っていなくても、「何かと交換することはできない、比べることもできない、あなただけの価値を持っている人なのだ」と、誰かに認めてもらいたいだけなのだ。さらにいえば、何かの理由でお金が通用しなくなったとしても、何かお金以外のものに守られながら、きちんと生きていくことができる人間でありたかったはずなのだ。

そうであれば、持つべきものはお金ではなく、第一に人との絆だ。人としてのかけがえのなさを本当に認めてくれるのは、あなたからお金を受け取った人ではなく、あなたと心でつながった人だけだからだ。それは家族だけなのか。では家族がいなかったら、家族に見放されたらどうするのか。そうではない。人であれば、誰でも人とつながれる。里山資本主義の実践者は、そのことを実感している。

持つべきものの第二は、自然とのつながりだ。失ったつながりを取り戻すことだ。自分の身の回りに自分を生かしてくれるだけの自然の恵みがあるという実感を持つことで、お金しか頼るもののなかった人びとの不安はいつのまにかぐっと軽くなっている。里山資本主義の実践は、人類が何万年も培ってきた身の回りの自然を活かす方法を、受け継ぐということなのだ。

里山資本主義の向こう側に広がる、実は大昔からあった金銭換算できない世界。そんな世界があることを知り、できればそこと触れ合いを深めていくことが、金銭換算できない本当の自分を得る入り口ではないだろうか。

第三章　グローバル経済からの奴隷解放

――費用と人手をかけた田舎の商売の成功

（NHK広島取材班・井上恭介、夜久恭裕）

過疎の島こそ二一世紀のフロンティアになっている

本書ではここまで、田舎に踏みとどまって、地域の資源を見出《みいだ》し、地域循環型の経済を生み出している人々を紹介してきた。ところが、時代の流れは今や逆転し、大企業を見限って、過疎の地域へ飛び込む若者たちが増えている。それも優秀な若者が、である。ここからは、そんな新たな潮流についてみていきたい。

そんな町の一つが、山口県南東部、瀬戸内海に浮かぶ、周防大島《すおうおおしま》だ。

周防大島は、数ある瀬戸内海の島々で三番目に大きな島。全般的に山岳起伏の傾斜地で六〇〇メートル級の山々が連なり、海岸に沿って多少の丘陵地が広がる程度で、大半を山地が占めている。その一方で、作物の生育にこれほど恵まれた環境はないのではないかとも思える温暖な気候を持っている。年間の日照時間は国内トップレベル、年間平均気温は一五・五度。島では昔から、そんな傾斜地と温暖な気候を利用した柑橘《かんきつ》類の栽培が盛んであった。瀬戸内海は、いわば、日本の地中海である。

しかし、高度経済成長期、日本はこうした島々の活かし方を間違え、大量生産・大量消費のシステムに組み込もうとしてきた。国は一九六一年、農業生産の増大・合理化を目指して「農業基本法」を策定。みかんを、お金になる作物として、「選択的拡大」の対象に指定、大規模化を推奨した。それは、この島で長く続いてきた、少量多品種による自給自足的な農業を破壊、誰もがみかんを栽培するようになった。しかしみかんの需要は国が期待したほど伸びなかった。そこに追い打ちをかけたのが、オレンジやグレープフルーツの輸入自由化。みかんの過剰生産が問題となり、農家はジュースや缶詰などの加工用に振り向けざるを得なくなっていった。しかし加工用のみかんは生食用の一〇分の一以下の値段で買いたたかれ、みかん農家の多くが、経営を成り立たせることができなくなった。

結果は明白だった。島の産業に将来を見出せなくなった若者たちは、次々と島を後にしていったのだ。日当たりのよい急斜面を利用したみかん栽培は、畑をぐるりと回るだけでも多大な労力を伴う。若者がいなくなった段々畑は次々と荒れ地へと変わっていった。そして、

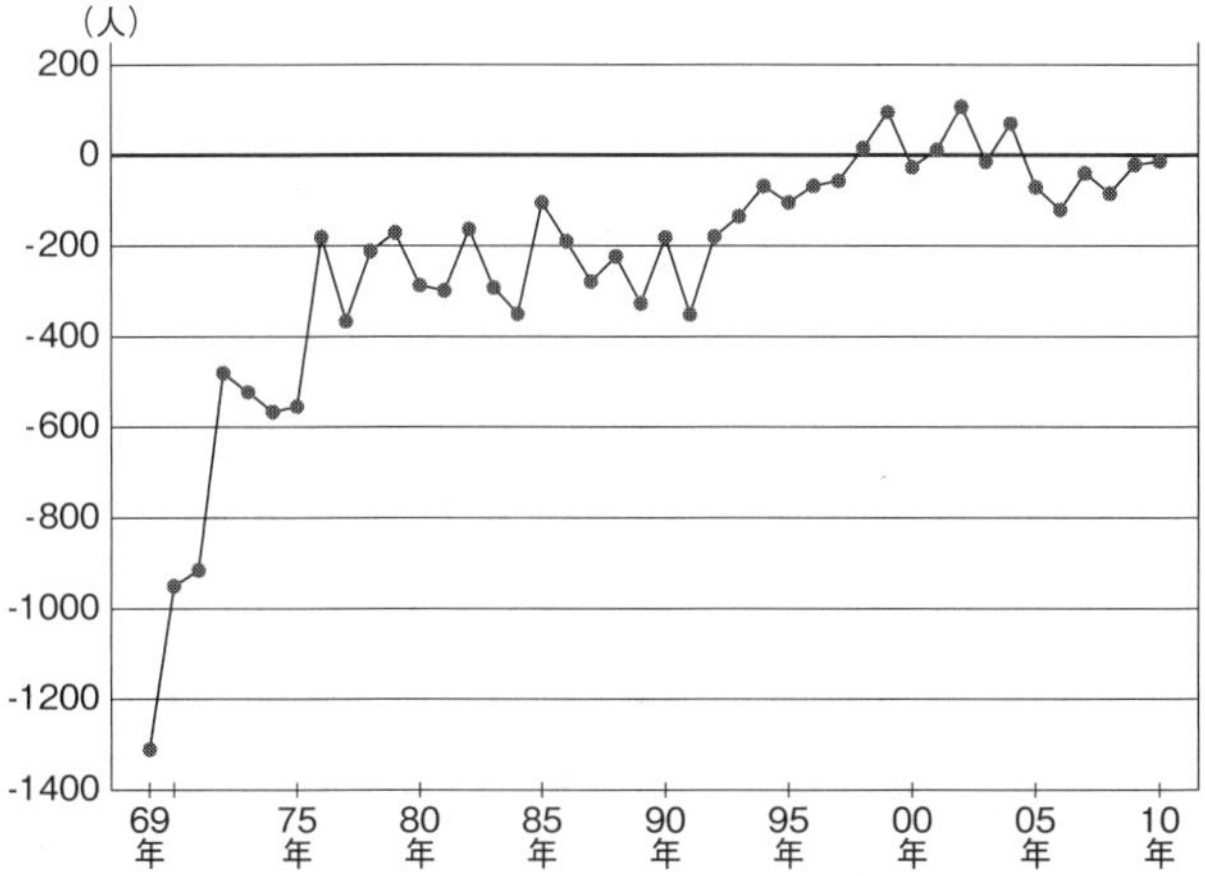

［資料提供］周防大島町役場

周防大島の人口流出（転入者−転出者）

いつしか周防大島は、人口における六五歳以上の割合を示す高齢化率が四七・七％（二〇一二年）。日本で最も高齢化率が高い自治体の一つとなったのである。

ところが、この一〇年余りでにわかに変化が見られるようになった。半世紀以上にわたって続いてきた社会増加数（転入者数から転出者数を引いたもの）の減少が、とうとう止まったのだ。もちろん、高齢化が進み、そもそも出て行く若者が減ったのも一つの要因ではあるが、近年、島に移住する人が増えているというのである。もともと周防大島に縁がなかった人がやってくるIターン、いったん島を出て行ったものの、年を経て戻ってくるUターンなど、形は様々だが、今、瀬戸内の島々が「里山資本主義」によって、若者たちにとってのフロンティアとして生まれ変わろうとしている。

大手電力会社から「島のジャム屋」さんへ

これから紹介する松嶋匡史《まつしまただし》さんは、周防大島でも先進的な成功事例といっていいだろう。松嶋さんがこの過疎の島で挑戦しているのは、カフェを併設したジャム屋さん。「瀬戸内ジャムズガーデン」だ。

海に面した、フランスのおしゃれなカフェを連想させる建物と、床や柱に木をふんだんに利用した、暖かみのある内装。そして、カフェスペースには、木のテーブルを三つ。そこに座れば、大きな窓から目の前の瀬戸内海に島々がぽっこり浮かぶ、多島美を楽しむことができる。

いくらおしゃれとは言え、山口市からも広島市からも離れたへんぴな場所に客は来るのだろうか、と週末に訪ねてみれば、目の前の駐車場は車でいっぱい。家族連れやカップルなど、たくさんのお客さんで賑《にぎ》わう。みんなのお目当ては、四季折々の手作りジャム。春はいちごにサクランボ。夏はブルーベリー。秋はいちじく。そして冬はみかんやリンゴ。風味付けも、バニラ、シナモン、ラム、紅茶、チョコレートなどなど。レパートリーはなんと一〇〇種類以上。「あれもこれも」と好奇心を刺激されながら、オリジナルのジャムを味見し、買うことができる。ほどよい甘さにほっこり。流れる時間はゆったり。子どもも大人もみんなが笑顔になれる空間だ。

もともと京都出身の松嶋さん。二〇〇六年、勤めていた電力会社を辞めてIターン、東京から周防大島にやってきて店を開いた。

きっかけは二〇〇一年、新婚旅行で訪れたパリのジャム屋さんだった。妻の智明《ちあき》さんがアクセサリーショップに入っている間の時間つぶしにふと隣にあったコンフィチュール（フランス語で「ジャム」）専門店を覗《のぞ》いたところ、色とりどりの瓶入りジャムが並んでいた。その美しさに取り憑《つ》かれたように見入ること一時間。とっくにアクセサリーを見終わり、あきれる智明さんに、「お土産だから」と三〇個ほど買って帰った。帰国後、松嶋さんは暴挙にでる。なんと、そのほとんどの封を切り、自分で食べ比べをしてしまったのである。それで完全に火が付いた。突然、「ジャム屋を始めたい」と言いだした。もちろん、智明さんは開いた口がふさがらない。電力会社という最も安定しているはずの会社に勤めている人と結婚した途端、成功するかどうかも分からないジャム屋を開くというのだから。しかし、松嶋さんはあきらめなかった。説得には三ヶ月を費やしたという。それで智明さんもようやく折れた。「当然、三ヶ月くらいはスルーしていましたよ。耳元で『ジャム、ジャム』とか言っていても、作ったことないし料理もしないし、何を言っているんだ、みたいな感じで。詐欺っていうか、ただの妄想っていうか、独り言っていうか、そういう風に受け止めていました」

私たちと智明さんのやりとりを横で聞いていた松嶋さん、にやりと笑った。「まさしく妄想と言えば妄想ですね。でも、そういうところから革命は起こるんですよ」

ジャムの作り方を一から独学する傍ら、次に関門となったのが店の立地だった。当初はおしゃれなお店を経営するなら、当然、消費地に近い都市部がいいと思っていた。それこそ、出身地・京都なら観光客のお土産になると。ところが、話を聞きつけた妻の父親であり、周防大島で寺の住職をしている白鳥文明《しらとりふみあき》さんからとんでもないアイディアが出された。「周防大島で店を開いてもらえないか」。先に述べたとおり、周防大島は、若者の島外への流出に苦しみ、町としても若い力を必要としていたのである。

妻の智明さんは、夫はさすがに引き受けないだろうと考えていた。ところが、松嶋さんはあっさり引き受けた。決め手となったのが、原料となる果樹がすぐ身近にあることだった。生産地のど真ん中でジャム作りをしてみるのも悪くないと思ったのである。

そこから、松嶋さんの逆転の発想が次々と生まれた。まず、店を建てる場所探し。松嶋さんが選んだのは、便利な国道沿いではなく、静かな海辺だった。これには、場所探しにつきあった義父も驚いた。

「ここにずっと住んでいる人間にとっては、海があって当たり前だし、他の場所でも海は見えるわけですからね。ここが特別な場所だと誰も思わないんです」

松嶋さんの発想は全く逆だった。

「都市部から来ると、海が見えるところでコーヒーを飲みたいとか、ありますよね。ここならいいなって感じだったんです。僕にとっては」

松嶋さんによる、地元の人も気づかない、ぴかぴかの宝物探しが始まった。

自分も地域も利益をあげるジャム作り

松嶋さんはジャムを買ってくれたお客さんに、あるリーフレットを手渡すことにしている。そこには、「過疎高齢化が進む島で小さなジャム屋が思うこと」と題して松嶋さんの思いが綴《つづ》られている。

今の時代に求められているのは、地域の価値に気付き、その地域に根ざした活動を展開することではないでしょうか。その土地でできた農作物を使い、田舎では田舎でしかできない事業を行うことが理想のスタイルであると思います。それが地域を復興させ、お年寄りを元気づけ、若者を呼び戻す切り札になるはずです。（中略）土地と作り手の魂が感じられるジャムづくり。（中略）これこそが私たちの目指しているジャム作りなのです。

まさに、大量生産・大量消費システムとの決別宣言である。経済成長のために、地域を安価な労働力や安価な原材料の供給地とみるのではなく、地域に利益が還元される形で物づくりを行う。ただし、そのために自分たちが犠牲になる必要もない。自分たちも、ちゃんと利益をあげる。その仕組みを松嶋さんは一生懸命考えた。

まず、松嶋さんは島を回りながら、生産者との交流を深めた。都会にいては絶対にわからない、ジャム作りのヒントを農家から直接仕入れるためである。

そんな松嶋さんの知恵袋の一人となっているのが、祖父の代からみかんを作り続けている山本弘三《やまもとこうぞう》さん。一〇月の早生《わせ》から翌五月以降に旬を迎える南津海《なつみ》という品種まで、一〇種類以上のみかんを作り分けるだけでなく、みかん以外にも、レモンやネーブル、ポンカンなど、多様な柑橘類を手がける、柑橘作り名人である。山本さんの生産技術を学びたいと、本場・ヨーロッパからも視察がやってくるほどだ。

松嶋さんはそんな山本さんたち、地元の柑橘農家との会話のなかから、新しいジャムのアイディアを次々と得ていった。その一つが、青みかんジャム。原料となるのは、生では酸っぱくてとても食べられない、熟す前の青みかんだ。虫をよせつけないほどの強烈な香りがあることを教えられ、新しいジャムが生まれた。

ヒントをくれるのは柑橘農家ばかりではない。周防大島には、東和《とうわ》金時という品種のサツマイモが昔からひっそりと栽培されていることを知った。有名な徳島の「鳴門《なると》金時」と同じ品種でありながら、それほどの知名度を得られなかった、隠れた特産だった。松嶋さんは、これも何とかジャムにできないか、試行錯誤を重ねた。一番の難関は、サツマイモはジャムにすると、できたてはおいしいのだが、冷めるとイマイチということだった。そこで逆転の発想。「焼きジャム」という新たなジャンルを開発した。パンを焼いてからジャムを塗るのではなく、ジャムを塗ってから、ジャムごとパンを焼いて食べるのだ。すると、熱々のサツマイモの甘い香りが口いっぱいに広がる。冬の定番のジャムとなった。

「都市部でジャムを作ろうとすると、こういういろいろなアイディアは生まれてこない。地元のかたと接するからこそできるジャム作り、ビジネスなんだと思います」

そんな風に自らの取り組みを評価する松嶋さん。もちろん、その探求心と発想力があってこその賜物《たまもの》であるのは間違いない。

一方の山本さんたち果樹生産者にとっても、作物に新たな価値を見出す松嶋さんはありがたい存在となった。

「我々は生産者ですから、加工まで一歩踏み込むのは難しいところがあった。島にいる多くの農家、みんなそうですよ。生産は得意だけど加工・販売は苦手。だから、ノウハウをもっている人が島に来てくれたのは強みだと思います」

売れる秘密は「原料を高く買う」「人手をかける」

どうすれば、農家に利益を還元することができるのか。松嶋さんは、原料となる果物は高い価格で買い取ることにした。みかんも、一キロ一〇〇円以上で買っている。これまで大きさや形が規格外の加工用のみかんは、そのほとんどがジュースの原料として一キロ一〇円と、安く買いたたかれてきた。だから、一〇〇円という数字は、山本さんにとっても驚きだった。

「社会では原料は安いものだという概念がありますから、一〇円とか、そのぐらいしか支払いはない。松嶋さんが、一キロ一〇〇円で材料を買うのは、非常に高い単価。でもそれは、私たちがいろんなものをかけて作ったとき、まさに、それぐらい欲しいな、という単価でした」

そうして仕入れた原材料からのジャム作りも松嶋さん流だ。まず、松嶋さんは、均一な味を求めない。一瓶一瓶味や風味が違って当然なのだ。それが、数え切れないほどの試行錯誤の結果たどり着いた結論だ。

ジャム作りでは、徹底的に手作りにもこだわっている。機械に頼らず、人手をかけた方が消費者にアピールできることももちろんあるが、その方が地元の雇用につながるのだ。ジャム屋の工房を覗くと、地元の農家の奥さんたちが、原料を切ったり、皮をむいたり、煮込んだり、楽しそうにジャムを作っている。若者の姿も見える。周防大島にIターンしてきたが、すぐには収入が安定しないため、アルバイトしているのだという。そうした人たちが二二人も働いている。

もちろん、原材料や人件費が上がれば、商品の値段は高くなる。松嶋さんが販売するジャムの値段は、一五五グラムの瓶入りで七〇〇円前後。大手メーカーの大量生産品に比べると格段に高い。しかし、少量多品種、画一化されていない個性豊かな味。そして何より、周防大島という素晴らしい環境で、顔の見える人たちによって作られていることが、飛ぶように売れ続ける秘密となっている。

「我々にできることは何なんだろう、とこの島に来てから考えるようになりました。単純に自分のところの利益を最大化するのがいい話ではなくて、地域全体が最適化されることで、自分たちにも利益がまわってくるのです。だからこそ、地域をまず改善していく取り組みをしたいと考えています」

島を目指す若者が増えている

周防大島で活躍する若者は、松嶋さんだけではない。二〇代から四〇代の若い力が、次から次へと島の眠れる宝を掘り起こし、新たなビジネスに結びつけている。

福岡で調理師をしていた二〇代の笠原隆史《かさはらたかふみ》さんは、周防大島へ戻ったのち、果樹の多い島では良質の蜂蜜《はちみつ》が採れると考え、養蜂《ようほう》業へ転身した。養蜂から瓶詰めまで家族だけで行い、道の駅など、目の届く範囲だけで販売する徹底した小規模経営の方針をとり、利益を順調に伸ばしている。

四〇代の山崎浩一《やまさきこういち》さんは一八歳のときに周防大島を離れ、広島・フランス・東京で料理人の腕を磨いたのち、Uターン。島内外で常に満員御礼の人気レストランを複数経営している。皮ごと食べられる無農薬のみかんを使ったみかん鍋《なべ》も開発。島の新たな特産に育てようとしている。

まだまだ、いる。三〇代の新村一成《しんむらかずなり》さんは、広島の食品加工会社で働いていたが、結婚を機に島に帰り、実家の水産加工会社を継ぐ。二〇一〇年、松嶋さんに出会い、今まではいりこ（煮干し）に適さないと廃棄してきた、大きすぎるイワシをオイルサーディンにするアイディアを得て、販売を開始した。海外産のオイルサーディンが多い中、純国産のオイルサーディンはじわじわと人気が広がり、生産が追いつかない状態である。

都会から過疎地へ。そうした動きは全国に広がっている、と見るのが東京・渋谷《しぶや》に本拠を置き、長年、若者の起業をサポートしてきたNPO法人「ETIC.」である。

ETIC.では、年に数回、「日本全国！地域仕掛け人市」を開いてきた。地域に入って起業などにチャレンジしたいという若者と、受け入れ団体のマッチングイベントである。二〇一一年秋、私たちが取材に訪れたとき、都内の会場には二二〇人が詰めかけ、活気に溢《あふ》れていた。ほとんどが、就職活動中の大学生や転職を考える若者だった。

「北海道から来ました！」。若者たちを前に北海道から沖縄まで、全国からやってきた二二団体の、UターンやIターンで起業した先輩たちが地域で働くことの魅力を熱弁する。

なかでも、離島からやってきた団体が熱い。「横溝正史《よこみぞせいし》の『獄門島』のモデルになった島です」と紹介しているのは、岡山県笠岡《かさおか》諸島にある六島《むしま》。町長が主導し、トヨタやソニーで働いていた若者たちが協力して、今やすっかり地域復活の象徴となっている島根県、隠岐《おき》諸島の海士《あま》町も来ていた。島は、本土から離れている分、地域社会も完結していて、里山資本主義を実践するのにちょうどいい環境なのだ。

周防大島からは、ジャムズガーデンの松嶋匡史さんとその盟友・大野《おおの》圭司《けいじ》さんが駆けつけていた。大野さんは、Uターン組。広島の高校、大阪の大学、そして東京で社会人と一一年間島を離れたあと、地元に戻り、地域興しのリーダーとして活躍してきた。

周防大島のブースで、二人からジャム屋の成功体験を聞いた、二人組の大学二年の女性は口々に褒め称《たた》えていた。

「ああいう島があること自体知らなくて、すごい素敵《すてき》だなと思いました。島で社会ができているというか、外に頼らずに自分たちでやるところがいいですね。いいな、行きたいな！と思いました」

「自分がやりたいことができそうな雰囲気ですね。みなさんサラリーマンのように疲れてなくて、楽しそうに話をされていますから。自分、自分じゃなくて、地域、地域って思ったら、もっとやれることがあるんじゃないかな」

ETIC．代表理事の宮城《みやぎ》治男《はるお》さんは、トレンドを次のように分析する。

「ここ数年、非常に動きが目立ってきています。どの企業でも欲しいような人材が、平気で会社を辞めて地域に入ることがあちこちで起こり始めているんです。立派ないい会社に勤めて、高い給料をいただいているような人が、年収が半分、三分の一になることもいとわず、地域に戻りたい、地域で仕事をしたいと。このなかには、そんな人がたくさんいらっしゃる」

このNPO法人が、起業を考える若者を対象に行った意識調査では、いま、若者たちの五人に一人が、農業や漁業といった「一次産業」に挑戦したいと考えているという。かつて、起業の花形だった「IT産業」の二倍以上である。

「物質的豊かさや、情報という面での豊かさに対して、飽和感があるのだろうと思います。五感でリアリティを感じられるといったおもしろみを求めているのではないでしょうか。リアリティの最たるものは、人間の絆《きずな》であるとか、人情みたいなものでしょう。また、自然と触れ合って仕事をしていくことも、非常に魅力なのだと思います」

「ニューノーマル」が時代を変える

もちろん、世の中は依然として、年収はじめ、お金を求める風潮が強いのも事実だ。しかし、いち早く気づいた若者から、そういう価値観とは違うところで自分の人生を選択しようとしている。新しい時代がやってきているのである。

そうした観点からこの問題を論じているのが、三菱《みつびし》総合研究所の阿部《あべ》淳一《じゅんいち》氏だ。

阿部氏は、震災以降の新たな若者たちの消費傾向を、「ニューノーマル消費」と名付け、分析を進めてきた。

「ニューノーマル」とは、リーマンショックを機に、アメリカ・マンハッタンの金融街を中心に唱えられるようになった新たな概念だ。右肩上がりの成長を前提とした投資をこれ以上期待できなくなってしまった、投資家たちの認識を呼び表す言葉である。その定義は厳密にまだ定まっておらず、本場アメリカではあれこれ議論されているが、これを、若者たちの消費動向に結びつけて捉《とら》えたのが、「ニューノーマル消費」である。

自分のための消費（ブランド品や高級品）を求めるのではなく、つながり消費（家族や地域、社会とのつながりを確認できるもの）を求め、新しいものをどう手に入れるかという所有価値でなく、今あるものをどう使うかという使用価値へ重心が置かれるようになっている。そして、それは一過性ではなく、長期的、持続的な変化であり、後戻りできない消費傾向だと捉えられている。

阿部氏は、こうしたトレンドは今に始まった話ではないと主張する。一九九〇年代のバブル崩壊で芽吹き、水面下で少しずつ花開いていたものが、リーマンショックで一気に顕在化、そして、東日本大震災で加速したのだ。まさに、二〇一二年は「消費のニューノーマル化」の元年となった。静かな革命という呼び方をする人もいる。

五二％、一・五年、三九％の数字が語る事実

これに対して、「オールドノーマル」とは「成長が是」とする認識だ。戦後、日本企業の売り上げは確かに伸びてきたが、実は利益はそれほど増えていない。つまり、売り上げの成長が利益に直結してこなかったのだ。日本企業は縮小する市場のなかで、猛烈な勢いで成長

するアジアのメーカーと、消耗戦を繰り広げてきたのが実情なのである。阿部氏は、その結果生じた現象を、象徴的な数字とともに、三つ挙げている。

まず、「五二％」。これは、発売から二年以内に消えるヒット商品の割合。なんと、世に新たに登場した商品の半分以上が発売から二年を待たずに消滅しているのだ（社）中小企業研究所「製造業販売活動実態調査」二〇〇四年）。一九九〇年代までは、たったの八％だったという。逆に言うと、九割以上の商品が発売後二年以上、市場に残り続けていたのだ。

次の数字が、「一・五年」。これは新しく発売された商品が利益を得られる期間（経済産業省「研究開発促進税制の経済波及効果にかかる調査」二〇〇四年）。一つ目とも絡んでくるが、このご時世、短命な商品のいかに多いことか。一方で、研究開発には何年もかかる。つまり、いくら頑張って開発しても、あっという間に利益が得られなくなる現象が起きているのだ。一九七〇年代までは、開発後、二五年ぐらいはもったという。当時は、開発者として一つヒット商品を生み出せば、定年まで食べていくことができたのだ。

こうして、近年の日本企業は新商品の乱発競争をしてきたが、それが、組織・人材の疲弊につながっている。それを示すのが三番目の数字。

仕事の満足度「三九％」（独）労働政策研究・研修機構　調査シリーズNo.51「従業員の意識と人材マネジメントの課題に関する調査」二〇〇七年）。ただし、これは震災前の二〇〇七年の調査。今はもっと下がっていると見られている。

「二〇〇八年初頭、小林多喜二《たきじ》の『蟹工船《かにこうせん》』がベストセラーになった。『蟹工船』の冒頭、主人公は、『おい地獄さ行《え》ぐんだで！』と言うが、それは、今の若者たちの就職時の心情と深くマッチしているのではないだろうか。忘れてはならないのは、近年急増している、若者のうつ病である。背景には組織・人材の疲弊があるのではないか」と阿部氏は指摘している。

企業の売り上げを伸ばすためではなく、地域や社会とのつながりを感じられる商品を人々は欲し始めている。作り手の側からも、そうした商品を提供したいと考える人たちが現れるのは、当然のことである。

田舎には田舎の発展の仕方がある！

過疎と高齢化が進んだ地域。そこには、アイディアさえあれば、とっておきの宝物がまだまだ眠っている。リスクも少ない。土地代や人件費など、元手もほとんどかからないため、スタートから多額の借金を抱える必要もなければ、もちろん、生産過剰による在庫を心配する必要もないのだから。そしてなにより、若者が帰ってきた。それだけで地域の人たちから感謝される。「地域」は今や、若者たちを惹《ひ》きつける新たな就職先である。

しかし、いくら若者が過疎地を目指すとなっても、そこは見知らぬ土地。困難も多い。田舎にはよそ者に対し警戒心をもつ風潮も残っていて、残念ながら、ときにトラブルに発展することもある。

周防大島では、受け入れ態勢のさらなる拡充を目指す動きが次々立ち上がっている。松嶋さんたちは、Iターン、Uターンの若者たちによるネットワークを結成。「島くらす」と名付けた。まず、島の情報を起業希望者に提供し、便宜を図る。ときには、地元の人との仲立ちも行う。さらに、既に成功している会社へのインターン事業を行ったり、起業してからの安定収入のためにアルバイト先を提供したりする。先人たちが切り拓いた道。それに続く人たちが同じ様な壁にぶち当たることなく、スムーズに島に定着して欲しい。こうした活動には、松嶋さんたちのそんな願いが込められている。

こうした若者たちの動きに、自治体も応《こた》えた。二〇一一年四月、若い起業家に事業用のスペースを貸し出す、いわゆるチャレンジショップを始めた。都市部の商店街などではよく見られるようになった取り組みだが、過疎の島にあるのは珍しい。二〜三坪という少々手狭な敷地ながら、賃料は月一万円。しかも、年間二八万人が訪れる「道の駅」の目の前にあるだけあって、集客力は抜群。蜂蜜を販売する笠原隆史さんも、ここに店を出し、リピーターを増やしている。

周防大島町長の椎木巧《しいきたくみ》さんにも話を聞いた。

「私は行政のなかにいる人間ですが、一番不足しているのは、やる気があってもアイディアが薄い点。自分でも反省しているのですが、外のまったく違うタイプの方々のアイディアをいただけたら、もっと面白いものができるのではないかと期待しています」

二〇一二年四月からは、島内のあちこちに増えていた空き家を、移住を希望する人に破格の家賃で貸し出す取り組みも始めている。これも各地で始まっている取り組みではあるが、多くは行政が単独で行っているケースが多く、若者がなかなか情報にアクセスしづらい。ところが、周防大島では、「島くらす」と連携し、情報共有を図ることで効率よく借り手が見つけられる。

加速する周防大島の取り組み。椎木町長は、かつて、島でも大企業誘致などに取り組み、失敗した経験を反省する。

「都会と同じように考えて発展させるのは無理があると思うんですね。私たちの田舎は、田舎のような発展、地域にあった幸せ度、発展を考えなければいけないと思います」

私たちが松嶋さんたちを取材した番組が放送されたのは、二〇一二年三月。放送後、松嶋さんの元には、その理念に感銘を受けた人々による訪問や便りが相次いだ。

山口県岩国《いわくに》市から来たという五〇代の男性は、店に入って来るなり「会いたかったよ！ありがとう！　ありがとう！」と松嶋さんに握手を求めたという。聞けば、東京に就職した息子が都会暮らしや仕事になじめず、田舎に帰ってきたものの「田舎暮らしは面白くない」と、就職活動もせず閉じこもっていた。それがたまたま見た番組に感動し、何回も繰り返して見るうちに、ついには田舎には田舎の素晴らしさがあり、田舎で頑張ることの意義を感じたのだという。就職活動にも前向きに取り組むようになったそうだ。

他にも、二年ほどうつ病で休職していた女性から、放送を見て、再び就職活動を始める決心がついたという便りがくるなど、松嶋さん自身も勇気づけられるような話が続々と届けられている。

地域の赤字は「エネルギー」と「モノ」の購入代金

松嶋さんたちの取り組みを考察する上でとても重要な数字を次に紹介したい。「域際収支」というものを都道府県別に示したグラフである（一七六頁）。域際収支とは、商品やサービスを地域外に売って得た金額と、逆に外から購入した金額の差を示した数字。国で言うところの貿易黒字なのか、貿易赤字なのかを、都道府県別で示しているのである。

一目瞭然《りょうぜん》である。東京や大阪など、大都市圏が軒並みプラスなのに対し、高知や奈良など農漁村を多く抱える県は、流出額が巨大である。こうした地域がなぜ貧しいのか。それは、働いても、働いても、お金が地域の外に出て行ってしまうからである。

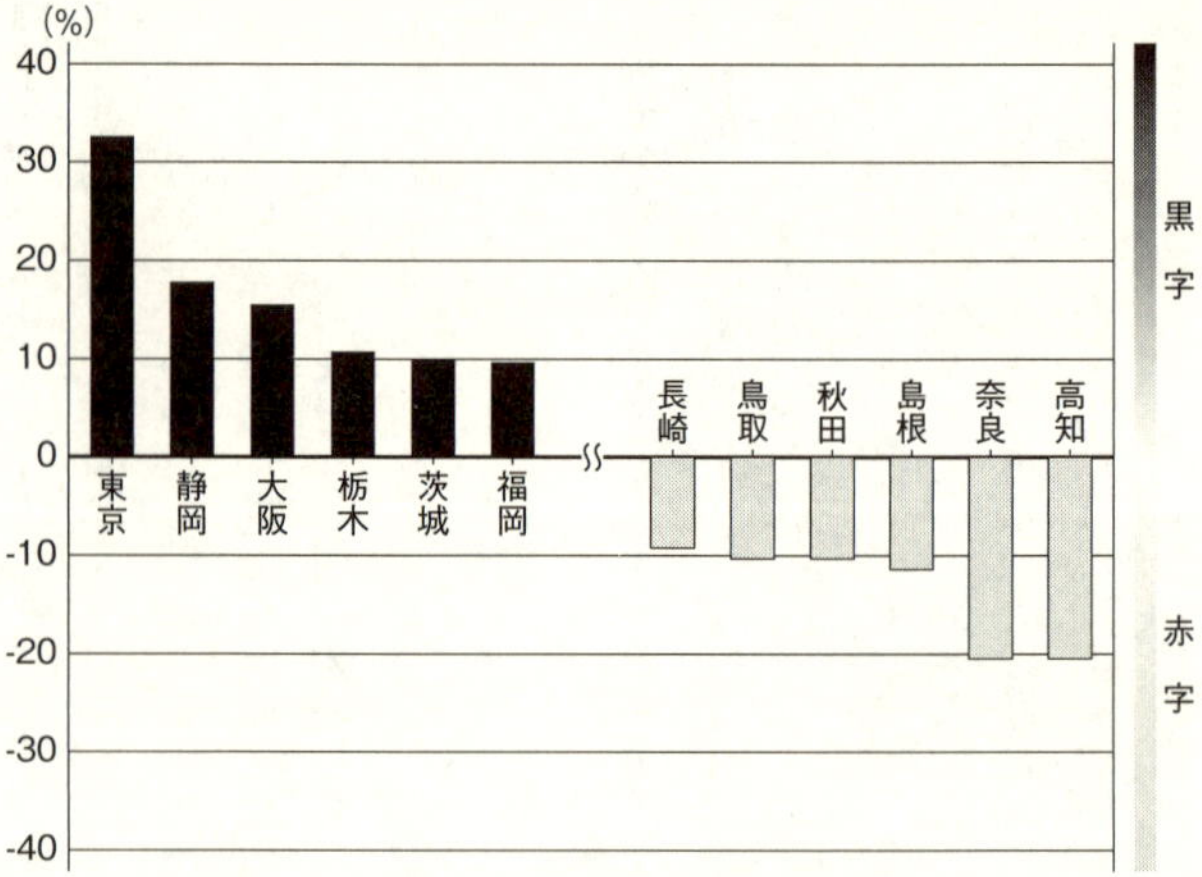

［資料］「2008年度県民経済計算」より算出 監修：堀越芳昭 山梨学院大学大学院教授

都道府県の収支（県内総生産に対する収支の割合）

かつてそれを穴埋めするために考え出されたのが、公共事業や工場の誘致、それに補助金といった再分配の仕組みだった。何十年と、莫大《ばくだい》なお金を地方に投入してなんとか底上げしてきたが、結局は、一部は地方の人々の収入につながっているものの、それらのお金も最終的に都会へと流れ込むだけだった。しかも、長期的な景気の低迷で、都市部も地方にそれだけのお金を流し込む余裕がなくなり、そうした仕組み自体が限界にきている。地域の衰退は止められないのだろうか。

そうではない。次の図を見て欲しい。今度は、域際収支が最下位の高知県を品目別にどれが赤字でどれが黒字かをみたもの。

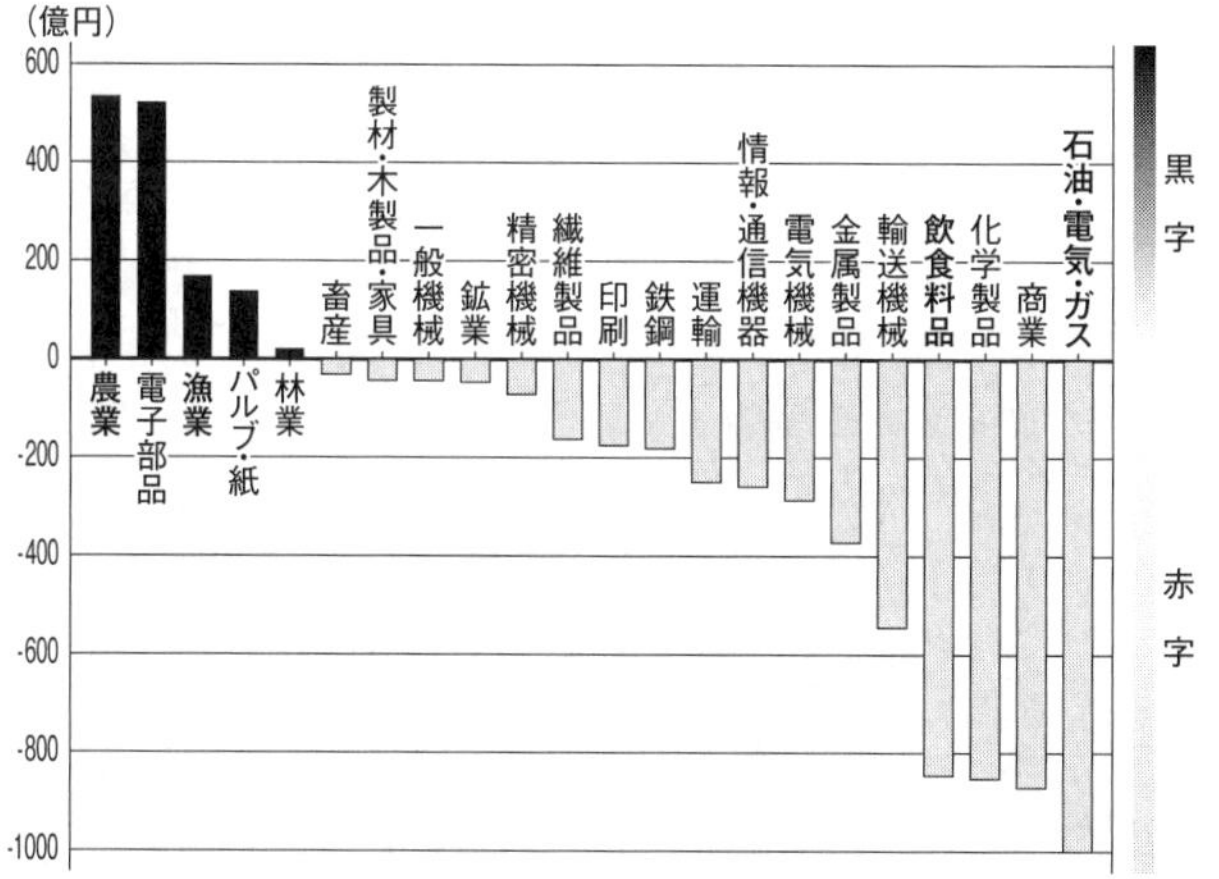

［資料］「2005年高知県産業連関表」より算出 監修：堀越芳昭 山梨学院大学大学院教授

高知県の収支の細目

いわば、お金の流れを健康診断した結果だ。

農業や漁業、林業など一次産業が黒字でとっても健康的であるのに対し、電子部品を除く二次産品が軒並み赤字となっている。なかでも圧倒的な赤字となっているのが、石油や電気、ガスなどのエネルギー部門。そして、意外なのが、飲食料品が赤字となっていることだ。農漁業などの一次産業は盛んなのに、それを加工した二次産品は外から買っているのである。これが、県全体の赤字額を押し上げている。

里山資本主義は、こうした赤字部門の産業を育てることによって、外に出て行くお金を減らし、地元で回すことができる経済モデルであることを示してきた。最近、はやりの「六次産業化」という言葉も、生産から加工、販売までを地域で行うことによって、赤字となる品目を減らそうという取り組みを指している。周防大島で松嶋さんたちがやっているのはまさに、都市部からの再配分に頼らない、新たな地域の底上げの方法なのである。

真庭モデルが高知で始まる

域際収支のグラフで全国最下位の高知県。よく見ると、林業は黒字なのに、それをベースとした製材業は赤字になっていることが分かる。こうした状況を改善しつつ、エネルギー部門の圧倒的な赤字を少しでも解消しようという動きが、知事の肝いりで始まっている。

二〇一一年九月、高知県庁で行われた、プロジェクトの発足式。そこに姿を見せたのが、第一章で紹介した岡山県の建材メーカーの中島浩一郎《なかしまこういちろう》さん。中島さんが築き上げた「真庭《まにわ》モデル」を高知にも導入しようと、尾崎正直《おざきまさなお》知事自ら中島さんを二年がかりで口説《くど》き落としたのである。知事は会見の席上、眠れる森林資源を活かすことが高知県の生き残る道だと力説した。

「高知県は、森林面積割合が八四%を占めていて、この八四%ある森を元気にできるかどうかは、高知県全体に関わってくる大きな問題となる。高知県の木をダイナミックにもっともっと動かしていけるようになりたい。山から木を切り出してきて、付加価値をつけて、県外にも売り出していく」

その栄えある真庭モデル導入の地に決まったのが、高知県東北端、四国山地のど真ん中に位置する大豊町《おおとよちょう》。人口四六六二。タクシーの運転手が、「一〇年後にはこの町はなくなっているはずです」と自嘲《じちょう》気味に表現するほど過疎高齢化が進んだ町。「限界集落」という言葉を最初に提唱した社会学者の大野晃《あきら》氏が、日本で最初の「限界集落」として挙げたのが、この大豊町だ。

「平らな土地が全然ないですからね」

町長の岩﨑憲郎《いわさきけんろう》さんは、町最大の産業であるはずの林業が廃れていくことに、危機感を募らせていた。

町の面積の九割は山林野、そのうち七割が人工林だ。戦後、宝になるとせっかく植林した杉の木が青々と育っている。しかし、木材価格の暴落で、住民たちは山に木を残したまま、集落を去っていた。残された山林は育ち過ぎ、やがて集落を飲み込んでいった。戦後、この町に嫁ぎ、植林に携わってきたという八〇代の女性は、悲しみを町長に訴えていた。

「昔は、山と一緒に生活ができた。今はできない、ここでは収入がない。青い杉ばっかりできれいだけど……。私が死ぬまでになんとかして欲しい」

二〇一二年七月、大豊町内の建設予定地で、施工式が執り行われた。跡継ぎがなく、前年廃業した製材所の跡地など、四万平方メートルの土地。岩崎町長が用意した、町内で一番広い平地だ。高知県知事を始め、高知県の木材関係団体のトップなど、大勢の関係者が見守った。もちろん、中心にいるのは中島さんだ。

二〇一三年四月、ここに大規模な製材所が建設された。生産量は、年間一〇万立方メートル。高知県全体の年間の木材生産量は四〇万立方メートル、その四分の一にもなる規模である。労働力は地元から五五人を採用する予定。もちろん、その経済効果は、川上の林業から、川下の販売や運搬業にまで及ぶ。

合わせて、木くずを利用した発電所も建設する。中島さんは、可能であればさらに「大臣認定」をとってCLT建築にも挑戦したいと考える。まずは社員の寮をCLTで建てたいと考えている。実現すれば、日本で初めてのCLT建築となる。

大豊町での「真庭モデル」の実践は、地方の赤字体質を改善し、日本経済全体を底上げできるかどうかの試金石になっていくはずである。

知事自らの説得にもかかわらず、二年間、ずっと協力すべきか思い悩んでいたという中島さん。やるからにはやる。吹っ切れていた。

「私の持論なのですが、日本人は、元来、木の使い方は非常に上手な民族というか、歴史も持っている。今はたまたま下手くそになっているだけで、一時的に忘れていることを、もういっぺん見直して、現代風にアレンジしたらいい。小さい穴でも風穴を開けたいです」

日本は「懐かしい未来」へ向かっている

身近に眠る資源を活《い》かし、お金もなるべく地域の中でまわして、地域を豊かにしようとする里山資本主義。様々な識者も議論に加わり、地元で活動する人たちと共鳴し、刺激しあう関係を結んでいる。人類社会学が専門の広井良典《よしのり》・千葉大学教授は、人類は「懐かしい未来」に向かっているのではないかと指摘した。庄原《しょうばら》の和田さんや真庭の中島さん、周防大島の人たちと語るうち、自然に出てきた言葉だった。人類は今、懐かしくありつつも、実は新しい未来を切り拓いている最中なのだという。

「懐かしい未来」とは、スウェーデンの女性環境活動家である、ヘレナ・ノーバーグ・ホッジ氏の言葉だ。グローバリゼーションの波が押し寄せるインド・ヒマラヤのラダックという秘境の村に入り込み、営々と営まれている伝統的な暮らしを目の当たりにし、二一世紀はこうした価値観こそが、途上国だけでなく、先進国においても大切なのではないかと感じ、この言葉を紡ぎ出した（『ラダック懐かしい未来』ヘレナ・ノーバーグ・ホッジ著『懐かしい未来』翻訳委員会訳　山と渓谷社　二〇〇三年、参考）。広井教授は里山の革命家たちと語りながら、この言葉を思い出したのだ。

広井教授は、持論を展開した。長い人間の歴史を振り返ると、物質的な量の拡大を続ける時代と、質的な、本当の生活の豊かさなどに人々の関心が移っていく時代が繰り返されてきた。今見ているものこそまさにその転換期なのではないかと。

「工業生産の時代は、自動車にしても何にしても、全国、世界、同じものが出回るとともに、そうした画一的なものがどれくらいあるかによって、進んでいる、遅れているという評価がなされた。進む・遅れるという時間軸でなんでも物事を見る時代であった。しかし、成熟の時代となり、地域ごとの豊かさや多様性に段々人々の関心が向かっているのではないか」

議論の中では、このような一幕もあった。人が山に入らなくなって荒れ果ててしまったマツタケ山を再生させようと活動をする人たちを、広井教授は、短期の利益しか見ない今の経済から長いスパンでの成果を評価する時代への転換、その表れだと説いた。すると、マツタケ山再生研究会の空田《そらだ》有弘《ありひろ》会長が「それはちょっと違う」と言いだした。自分たちは、絶対に成果が出ないといけない、という態度をそもそもとっていないというのだ。

「成果が出れば良し、出なくても、それもまた良し。みんなで山に入って、山をきれいにして気持ち良かった。七〇代の者たちが頬を赤く染めるほど汗をかき、山仕事に打ち込むことの気持ちよさ、すがすがしさ。それがあればいいのです」

その話を聞くうち、広井教授はこれ以上はないという笑顔になり、「感銘を受けた」と応えた。「そうなんですよね。将来の成果のために今を位置づけるのが今の経済だが、それでは現在がいつまでたっても手段になってしまう。そこから抜け出さなくてはならないのですよね」と、さらに論を展開させた。

人類何万年の歴史を考察する学者と、マツタケのいっぱいとれる山を取り戻したいと汗をかく男性が、まさに同じ土俵で語り合い、高めあう。これこそ里山資本主義だと合点した瞬間だった。

「シェア」の意味が無意識に変化した社会に気づけ

小さな地域と地域が、どちらかが搾取する側でどちらかが搾取される側という関係ではなく、対等な立場で情報を交換し互いに強くなる経済の形は、グローバル経済とは相容《あいい》れない、対立するものなのか。国際経済のマクロ分析が専門の、浜矩子《はまのりこ》・同志社大学教授は、それは違うと指摘した。浜教授は、今私たちが信じている「グローバル経済像」は、古くさい経済なのであり、実際はそこから抜けだしどんどん進化しているのだ、そのことに私たち自身が早く気づくべきなのだと語った。グローバル社会を「ジャングル」に見立てた説明は、我々の「弱肉強食の生存競争しかない」という固定観念を一瞬にして打《ぶ》ち壊した。

「グローバル時代は強い者しか生き残らない時代だという考え方自体が、誤解だと思うのです。多くの相手をつぶしたやつが一番偉い、みたいな感覚でグローバル時代を見る人たちの頭の中は時代錯誤と言えます。われわれは、グローバルジャングルに住んでいます。ジャングルは、別に強い者しかいない世界ではありません。百獣の王のライオンさんから小動物たち、草木、果てはバクテリアまでいる。強い者は強い者なりに、弱い者は弱い者なりに、多様な個性と機能を持ち寄って、生態系を支えている。これがグローバル時代だと思います」

グローバル化社会自身がそうした方向に進化しつつあることを示す言葉として、浜教授は、『シェア』という言葉の使い方が、最近変わっていることを挙げた。

「かつてシェアという言葉は市場占有率と受けとめられていました。市場のシェアナンバーワンになりたいという言い方ですね。今はどうですか？　今は分かち合いという感覚を持って人々に受け止められるようになっている。一八〇度違う意味で使い始めているのです。グローバル時代、成熟経済に対する理解が広まっているのではないでしょうか」

ではそうした人々の「無意識の変化」は、実際に何をどう動かし、どんな可能性を提示し始めているのか。中国地方が抱えるもうひとつの大きな「お荷物」であり「課題」である「耕作放棄地」をめぐる最新の動きを追いながら、考えていきたい。

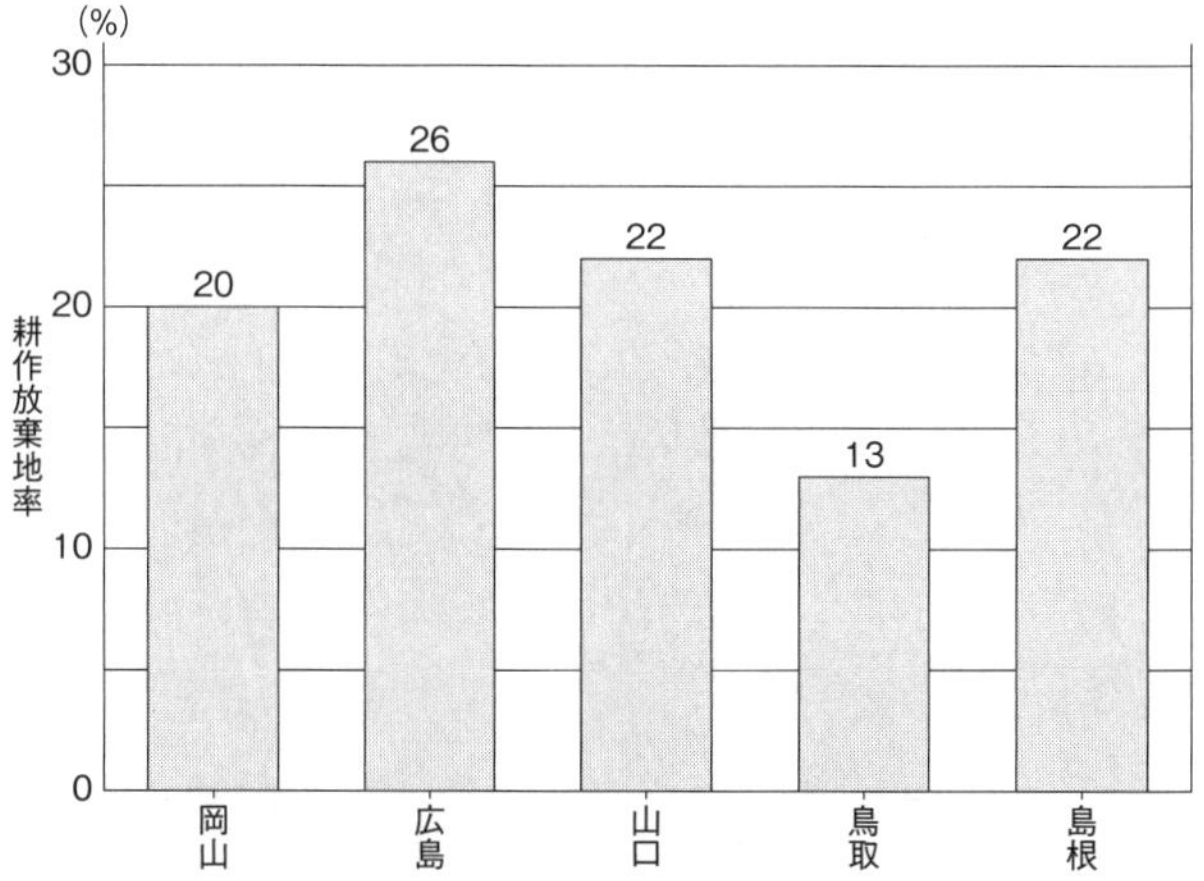

［資料］2010年度農林業センサス

中国地方の各県の耕作放棄地率

「食料自給率三九％」の国に広がる「耕作放棄地」

先祖が汗水たらして切り拓《ひら》いたデンパタを、なぜ草ぼうぼうにしているのか。

あっちもこっちも、なのだ。夏、中国地方の山あいを走ると、むっとする草いきれと共に殺伐とした風景が目に飛び込んでくる。むくむくと疑問がわいてくる。悲しい気持ちになってくる。

「耕作放棄地」だ。二〇〇五年の統計によれば、中国地方は、耕地面積全体に対する「耕作放棄地」の割合が広島県全国四位、島根県九位など、全国有数の「耕作放棄地帯」となっている。五割以上が放棄されている、という市町村も目につく（広島県では七市町、山口県では六市町が放棄率五〇％

超。瀬戸内の島でその傾向は特に顕著で、例えば江田島市八三%、上関町八七%、周防大島町五二%)。

しかし、それはしょうがないことなのだと、よく説明される。過疎地で高齢化が進み、耕す人がいなくなったのだ、と。若い人はみんな仕事や暮らしのために山をおりてしまったのだ、と。

でも、それでは納得できない。せっかく土地があるのに、水さえひけば米が作れる田んぼなのに、もったいないではないか。何か使い道はないかと考えないのか。使おうという人は、本当に誰もいないのか。

するとこういわれる。日本では米ができすぎて余っている。だから作るのを控えているのだ、と。作りすぎると米の値段が下がって、いま作っている農家まで困らせることになるのだと。確かに耕作放棄地は、「減反政策」をきっかけに増えてきた。

たいていの人は、ここであきらめてしまう。仕方がないと。しかし、里山資本主義を標榜《ひょうぼう》する我々は、そう簡単に引き下がるわけにはいかない。もう少し、食い下がってみたい。

食料自給率が低い日本でそのようなことを言っているのは、おかしいのではないか。

農水省のホームページを開くと、実はそのとおりのことが書かれているのだ。二〇一一年度のカロリーベース、つまり「日本人が摂取する栄養のうち、どれだけを自国でまかなっているか」という尺度での、日本の食料自給率は三九％。ずいぶん前から、もっと自給しようと呼びかけている。しかし数字は一五年も横ばいで、改善の兆しは見えていない。昭和四〇年（一九六五年）には七〇％以上まかなっていたにもかかわらず、である。

もう少し詳しく見てみる。米の自給率は九六％。これだけ減反しているのに一〇〇％でないことに少々違和感があるが、政策上、毎年少しは外国から米を買うことにしているそうだ。問題はその他の作物である。小麦の自給一一％。油脂類一三％。戦後パン食が広がり、最近ではパスタなど麺類《めんるい》を食べることも多くなったこと、揚げ物など油を使う食生活が広がったことなどを考えれば、全体の自給率を下げる大きな要因と言えるだろう。

もうひとつ気になる数字がある。畜産物に関する数字だ。完全に自給できているのは一六％で、輸入飼料による生産分が四八％となっている。つまり、肉や卵自体は国内産でも、食べているエサが海外からの輸入で、自給できていないということだ。

こうした事情を知るにつれ、また、疑問がむくむくわいてくる。耕作放棄地で飼料を作ろうという人はいないのだろうか。

またすぐ反論が返ってくる。アメリカなどの海外産飼料に、価格で太刀打ちできないのだ、と。そして、アメリカ中西部の穀倉地帯の雄大な映像を見せられる。広い区画の農地で行われる効率的な農作業、巨大なコンバイン。狭い段々畑や棚田でちまちま手間をかけて農業をやっても、勝てるはずがない。急いで大規模農業を普及させないと、日本の農業にあすはない、と説明される。

これがいわゆる「常識的な課題認識と解決へのアプローチ」だ。しかしその常識、本当に正しいのだろうか？

「毎日、牛乳の味が変わること」がブランドになっている

日本有数の耕作放棄地帯に属する島根県の山あいで、私たちは新たな動きを取材した。そして驚いた。「いわゆる常識」のない世界に住む人に次々出会ったのだ。

洲濱正明《すはままさあき》さん、二九歳。草ぼうぼうの耕作放棄地を借り、牛を放している。二四時間三六五日、牛たちは毎日気ままに草はらを歩き、気の向いた場所で草をはむ。乳が張ると牛舎にやってきて、乳をしぼってもらって、また草原に戻っていく。

牛は、穀物を一切食べていない。でも乳は出る。草ばかり食べているからおいしくないかというと、とんでもない。飲んでみると驚くほど濃厚だ。

耕作放棄地はただで貸してもらっている。どうせ使っていないのだから、どうぞ。しかも草刈りの手間まで省けて好都合、というわけだ。

売れる牛乳は、もちろん大量というわけにはいかない。日によって量にもばらつきが出る。

しかし、自然そのものの牛乳だと、好んで買う人がいる。自家製アイスクリームも好評だ。なんといっても、毎日の経費がほとんどゼロ。生活に困らない程度の収入は、十分確保できている。

なにより私たちが惹かれるのは、洲濱さんの穏やかな表情、のんびりした話し方だ。「雑草というと無駄なものですが、その無駄が、私たちにとってはありがたい牛のエサなんですね」と、静かにほほえみながら話す。そして続ける。「牛のストレスも、少ないようでして」

確かにそうだ。美しく蘇《よみがえ》った耕作放棄地。牛の放たれた草はらは、生い茂っていた草を牛がせっせと食べたおかげで、今やさわやかな風が吹き抜ける放牧地だ。のんびり座ったり、草をはんだり、思い思いにすごす牛たちは、いかにもストレスがなさそうだ。

私たちは、はたと思う。日頃報道で目にする「苦しい酪農」と、なぜこんなに違うのだろうか。

海外産穀物の高騰によってかさむエサ代。それなのに、市場に出回る牛乳の量が多すぎて、むしろ下がっていく牛乳の買い取り価格。廃業に追い込まれる酪農家が増え、今度はバター不足が起きる。余っているのかと思うと急に足りなくなるという、理解しがたい事態。

もちろん、日本中の酪農家が、洲濱さんのようにするわけにはいかない。それでは日本全体の需要はまかなえないだろう。だが、今の酪農が当然のこととしている常識は、疑ってみる必要があると思うのだ。

例えばそのひとつが、「穀物を食べさせないと濃い牛乳は生産できない」ということだ。私たちは取材で目から鱗《うろこ》を落とされた。草だけの牛乳は、確かに濃かったのだ。

洲濱さんはこともなげに言う。

「食べているものの種類が多いんですよ。クマザサからヨモギまで、数百種類くらいは食べてるんじゃないかと思うんです。飼料だと、こうはいきません。混合飼料といっても、植物の種類にすれば数種類にすぎません。だから濃厚なんです」

いわれてみれば、なるほど、である。

「牛乳の価格をおさえないと売れない」という常識もあやしい。洲濱さんの牛乳は、市販の五倍もする。でも売れる。それはそうだ。こんなに健康的な環境で育ち、自然そのもののエサを食べた牛の乳は、飲みたくなる。そもそもたくさん出回らないため、高くて買えないと言っていると、なくなってしまう。

価格だけをバロメーターとし、大量に作って単価をおさえ、売れなければ牛乳を捨てて市場のだぶつきを回避するという、なんともいたたまれなくなる経済の常識は、そこにない。

洲濱さんは、さらに大胆な「常識破り」を始めている。自然放牧では避けられない「毎日牛乳の味が変わること」を強みにしようというのだ。

常識的な農家が、かんかんになって怒りそうな試みだ。なぜなら、多くの農家は、品質が一定であることを市場での競争力と信じ、その達成のために、努力に努力を重ねているからだ。でも、市場、というか我々消費者は、本当にそんなことを求めているのだろうか。「常識」が想定する、品質のばらつきに対する市場の反応。それは「きのうと同じ値段がついているのに、きょうの牛乳は薄かった。損をした。どうしてくれるのか」であろう。だが、自然放牧の牛乳にそのような文句を言う人がいるだろうか。

洲濱さんの取り組みを聞き、「日によって違う牛乳の味を楽しんでください」と言われて牛乳を飲み比べた藻谷さんは、ひとことでその「常識破りの価値」を言い当てた。

「搾った日ビンテージ、ですね」

そうなのだ。私たちは「均質なものをたくさん」以外の価値観も持ち合わせている。ワインなどの世界では、他にない特徴を持つものが少量あることに価値を置く。「ビンテージもの」と名付けて。その価値観を牛乳に持ち込もうとは、夢にも思って来なかった。それだけのことなのだ。

常識にとらわれない洲濱さんは、毎日味が違う牛乳を、これからもっと売り出していきたいという。晴れた日、草原を突っ切り、森に入ってクマザサをおなかいっぱい食べる牛の乳。

草はらにハーブがはえる季節、ほのかにいい香りのする牛乳。

確かに、その方が自然放牧ならではの「ストーリー」を語ることができる。聞いているだけで、わくわくしてくる。そして、牛乳は工業製品ではないのだ、と改めて実感できる。

これこそ、「均質」にできることが当たり前となり、逆にばらついていることの価値、つまり個性を大切にしたくなった今の時代だからこそ認められる「常識破り」ではないか。


「耕作放棄地」は希望の条件がすべて揃った理想的な環境

毎日うきうきと小型のバンに乗り込み、耕作放棄地を切り拓いて作った畑に向かう数人の若い女性たち。「耕すシェフ」と呼ばれている。

島根県邑南《おおなん》町が開設した、町観光協会直営のイタリアンレストランで働いている。耕作放棄地を使って農業をしながら、そこでとれた野菜を自分で調理して、客に出す。

彼女たちは、もともと農業に詳しくない。というより、素人に近い。そのひとり、安達智《あだちとも》子《こ》さん、二五歳。大学卒業後、横浜でウエブデザイナー、つまりホームページなどを作製する仕事をしていた。

自然の中の暮らしや農業に興味がなかったわけではない。週末には、わざわざ茨城まで行って市民農園を借り、野菜作りを楽しんでいたという。

都会でないと仕事がなく暮らせないという「常識」が、実は違うということにも、半ば気づいていた。都会から田舎を目指す若者をサポートするNPOの仲立ちで、我々の取材の一年前に、縁もゆかりもない島根県邑南町に「転職先」を見つけた。島根と鳥取の区別もつかないという、予備知識のない状態のままで。

移住してきた安達さんに、地元の人は驚きの声をあげたという。「なんでまた、こんなところに」。そもそも「耕すシェフ」のコンセプトを発案し、募集した邑南町商工観光課の主任、寺本英仁《てらもとえいじ》さんですら、「みんな、来るわけないと言っていた」と明かす。

逆に安達さんは、そういわれることが不思議でならなかった。「転職先」は、安達さんが夢見る希望の条件がすべてそろった、理想的な環境だったからだ。

自由に使える土地が、すぐ近くにある。都会の菜園は遠くて、通うこと自体大変なことがほとんどだった。しかも、都会では当然のようにとられていた結構な借り賃も、ここではかからない。あれを作りたい、これも作ってみたい、有機農業がしたいと希望をいうと、教えてくれるベテラン農家を気楽に紹介してもらえる。都会の「先生の授業」は決まった時間だけだが、ここならば、その辺に教えてくれる人はいくらでもいる。達人だらけの町なのだ。

さらに、収穫した野菜を料理にして出す場もある。目の前で味わい、感想を言ってくれる人までいる。しかもお金を払って。耕すシェフのレストランに来る客は年間一万七〇〇〇人。

単純計算で一日五〇人。自分のような何の経験もない人間に、こんな恵まれた場を与えてくれる邑南町は、信じられない別世界に思えた。

それは、彼女たちの偽らざる実感だ。

まじめに勉強して大学に入り、一生懸命就職活動しても、企業の内定はほとんどもらえない。あなたのここがだめだ、魅力が足りないとこきおろされ、自信を失わされることの連続だ。凄《すさ》まじい倍率をくぐり抜けて、やっと就職しても、待遇は必ずしも良くない。長時間勤務と、その割に期待した程ではない月給。それが当たり前の世界に、ずっと生きてきたのだ。こんな「別世界」があるとは、夢にも思わず。

毎朝、鳥の声を聞きながら目覚め、さわやかな空気の中、畑に向かう日々。耕作放棄地は、地元の人にとってはできれば触れたくない話題らしく、「そんなところで働いているのか」と眉《まゆ》をひそめる。それがなぜなのか、変な先入観を持たない安達さんには想像もつかない。どうぞ自由に使ってくださいという場所が、その辺にごろごろあることの方が、余程不思議だ。しかも、長年放置して農薬も化学肥料も入れていない土地は、有機農業を始めるのに絶好の条件となる。

「草をひいて、ああ疲れたと顔を上げると、さっと風が吹いてきて、気持ちいいって感じ。自然の中で、これくらいの人口密度で、ストレスが少ないんですよ」

安達さんがそう話す向こうで、昔ながらの小学校のチャイムがのんびりと鳴っていた。

どう考えても、安達さんが普通で、これまでの常識が変なのだ。土地というものは、使いたい人が多ければ値段が上がり、少なければ下がる。極限まで下がった土地が「ただで使える耕作放棄地」だろう。ところが、ただになってもみんな使おうとしない。きちんと情報さえ行き渡れば使いたいと言い出すに違いない潜在的希望者は、かやの外に置かれている。なぜこんなことがまかり通り、放置されているのだろう。

耕作放棄地活用の肝は、楽しむことだ

松江市郊外の耕作放棄地で、最近面白いことが起きた。素人たちが楽しそうに耕す姿を見て、プロ農家のやる気が復活したというのである。

島根の県庁所在地松江でも、身の回りに畑を持たない都市住民の中に、自分で野菜を作りたいという人が増えているという。どこか気楽に使える場所はないか、と探したところ、車で二〇分くらいのところに耕作放棄地があった。市民たちはNPOを立ち上げ、活用する許可を市にもらい、せっせと荒れ地を農地に戻して、野菜などを作り始めた。

まったくの初心者も多い。その分、感動も大きい。実がなったと大騒ぎ、といった光景があちこちで見られるようになった。スーパーで買って食べるのと、ありがたみが全く違う。

通うのが楽しみでしょうがない。休みの日など、子どもや孫を連れて、一日ここで過ごすという人もいる。子どもの歓声が響く。耕作放棄地が一気に楽しい場所になった。

荒れ放題だった土地の変貌《へんぼう》ぶりを、近所の農家の人が見ていた。そして、感銘を受けたという。何か大事なことを忘れていたと感じ、自分たちも荒れ地の一部にお茶の苗木を植えた。木が育ち、お茶を摘む日を楽しみにすることにしたのである。

鳥取県の山あい、八頭《やず》町では、進めてきた耕作放棄地の活用をめぐって、興味深い議論が繰り広げられた。自分たちは儲《もう》けるためにやっているのか、楽しいからやっているのか、真剣に話し合ったのだ。出した結論が、いかしている。楽しむことが第一だということを、みんなで確認したのである。

彼らが取り組んでいるのは、とある魚の養殖。耕作放棄地の田んぼを二〇センチほど掘り、用水路から水をひいて、ホンモロコという魚を育てている。ホンモロコは体長一〇センチほどの琵琶《びわ》湖特産の魚で、昔から京都の料亭などでは、高級食材として珍重されてきた。炭火であぶったり、甘露煮にしたりして食べる。上品な味の白身の魚だ。

二〇〇〇年頃、鳥取大学で淡水魚の研究をしてきた七條喜一郎《しちじょうきいちろう》さんが、ホンモロコが田んぼの池のような環境でも育つ魚であることに目をつけ、八頭町の耕作放棄地で養殖を始めた。

やってみると、うまくいった。初夏、幼魚を池に放す。エサは池にわくミジンコなどのプランクトン。醬油《しょうゆ》かすや小麦をまいておくと、それをエサにミジンコは自然に増え、ホンモロコは育つ。成魚になってからはちゃんとしたエサが必要だが、それまではほとんど手間がからない。食べればおいしいし、田んぼで魚が育つこと自体、なんとも楽しい気分になる。

代々受け継いだ田んぼを荒れ放題にしていることに後ろめたさを感じていた農家などが、次々と田んぼを池に変えた。参加者は年々増加し、今では町全体で五一人にもなる。ブームはまわりの町や他県にも広がった。

そして問題が起きた。新規参入者急増による産地間競争、である。

ホンモロコは、確かに京都に持って行くと高く売れる。古都の台所、錦《にしき》市場に行くと、甘露煮が一〇〇グラムで一五〇〇円を超える値をつけている。しかし、こんな淡水魚をありがたがって食べる文化を持つのは京都周辺だけである。我も我もと京都の市場にホンモロコを出すと、とたんに競争が起きる。そして、値が下がってしまうのである。

「八頭ホンモロコ共和国」という手書きの看板を掲げた拠点に、主だったメンバーが集まって話し合いがもたれた。

高級魚としてのブランドを維持するために、何をすべきか。市場の拡大は図れないか。議論を黙って聞いていた七條さんが、口を開いた。

「もともと、何のために始めたのか?」

七條さんは、こう説いた。荒れ果てた先祖伝来のデンパタを見るのは悲しいことだ。活かされていない土地で何かできないか、と始めたのがホンモロコの養殖だ。そもそも儲けようとか、採算が取れるかとかを考えて始めたことではない。楽しいからしているのだ。それでいいじゃないか。争うなどもってのほかだ、と。

七條さんには、「楽しい」という以外に、もうひとつ大切にしていることがある。それは「地域を誇らしく思う気持ち」だ。

我らが田んぼで高級魚が育つ。それ自体、誇らしい。

みんなで集まり、おいしい食べ方をあれこれ工夫する。酒を酌み交わしながら、その味を自画自賛する。そしてホンモロコを知らない人に、食べ方を紹介しながら、こんなにおいしい魚がとれるわが故郷を自慢する。

誇らしさは、子どもたちにも広がっている。ホンモロコを給食で使うようになってから、子どもが胸を張るようになった。七條さんは何度も小学校を訪ねては、ホンモロコが育つ水がきれいなこと、そんな環境に自分たちが暮らしていることを、繰り返し教えている。

「それで、いいじゃないか。子どもが地域を好きになってくれれば」

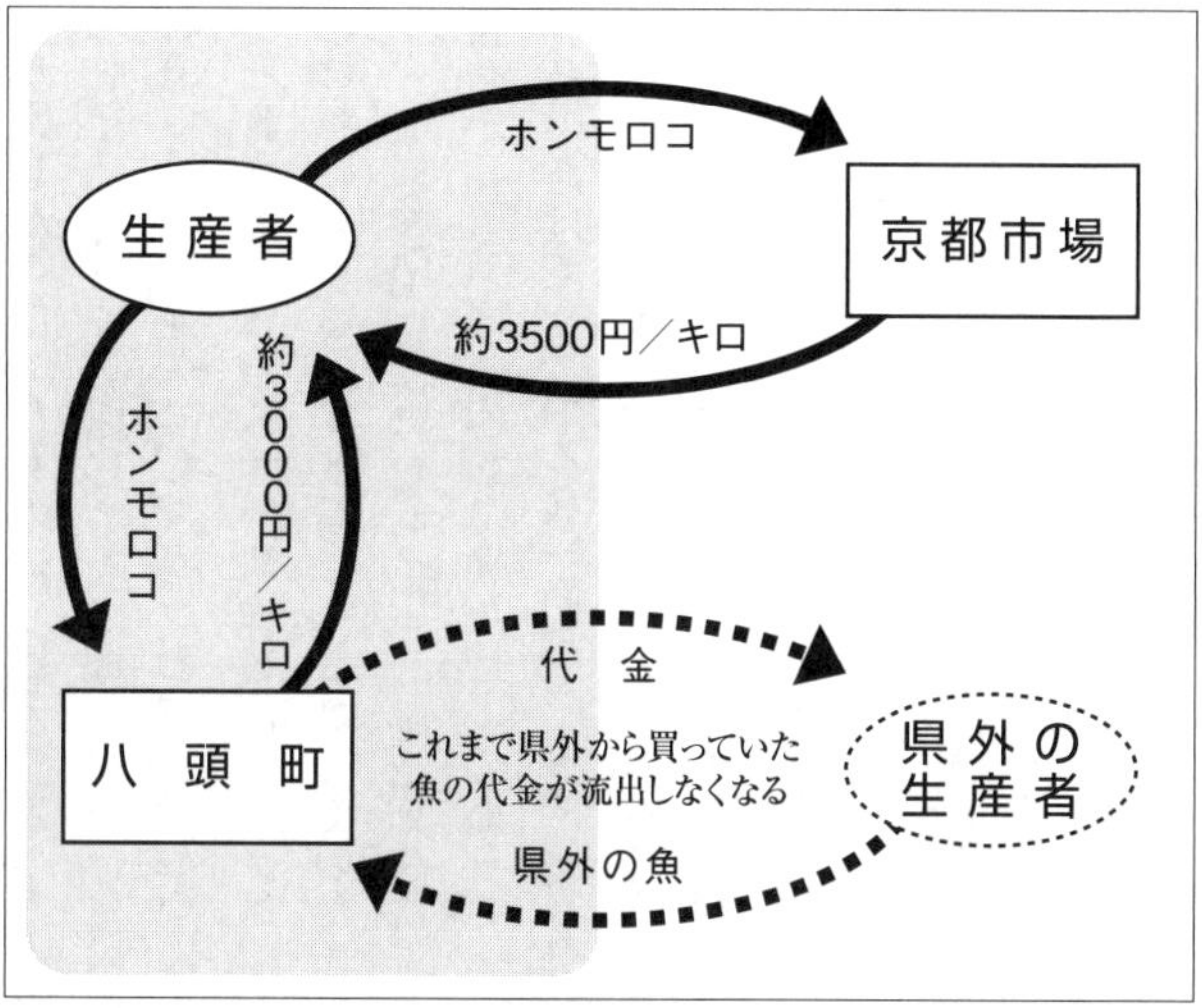

ホンモロコの経済効果

「市場で売らなければいけない」という幻想

こうした事例は、ことの本質を見事に語っている。これまで耕地というものをしばっていた常識を外せば、案外道は開けるのだ。

その常識とは何か。第一は、耕地で育てるからには、「相当額のお金に姿を変える経済行為でなければならない」という常識だ。いいかえれば、必ず「市場なるところ」で売ってお金と交換してこなければならない、という常識だろう。こういう常識にとらわれている人は、お金に換えてしまうと失われる価値があることに気づいていない。

なぜ自分で食べてはいけないのか。自

分が楽しんで作ったものは、自分で食べることこそが一番楽しいし、充実感も得られる。

なぜ、自分で調理して人に食べさせてはいけないのか。「これ、私が作ったのよ」といいながら、人に食べてもらうことが、どんなにうれしく、満足を得られることか。

それなのに私たちは、耕地を使うときは、できたものを必ず外の市場にもっていき、売らなければならない、と信じてきた。そのために、作るものの品質と量だけにひたすらこだわり、他の産地に負けないよう、価格を競争してきた。海外産はもっと安いといわれ、唯々諾々と「値下げに応じてきた」のである。

そのあげく、「戦えない商品」しかつくれない耕地では、何も作らないという選択をしてきたのだ。耕地を放棄し、そして食べるものを外から買い、自給率を下げてきた。

そうしたことが地域で暮らすコストを押し上げ、結果、地域が生きていくことを難しくしている。基本的なことだが、改めてそのことを確認しておかなければならない。

次々と収穫される市場〝外〟の「副産物」

耕作放棄の菜園で野菜を育てている市民は、その分スーパーで野菜を買う必要がない。これは、重要なことを私たちに問いかけている。

いつのまに私たちは、「趣味」をお金で買うしかないものにしてしまったのか。趣味を含め生活のすべては、仕事という「業」で得たお金を切り崩して得るしかないと考える、一方通行の仕組みを金科玉条にしているのはなぜなのか、と問うているのだ。趣味で野菜を作り、その分お金を使うことが少なくなれば、それにこしたことはないではないか。それどころか、支出さえ抑えられれば、実はそれほど収益性の高くない「業」でも、つくことができるようになるのだ。

地元の池で育ったホンモロコを給食に使えば、町の外から魚を買う必要がない。同じように代金を払っているようだが、意味合いは全然違う。外の魚だと、お金は町の外に出て行く。でも地元のホンモロコなら、お金は地域に留《とど》まる。地域の中で回っていくのだ。

見かけ上、経済活動は小さくなる。でも、実は豊かになっている。里山資本主義の極意だ。さらに、手に入る「豊かさ」は金銭的なことだけではない。「楽しさ」や「誇り」といった「副産物」が次々「収穫」されていく。

副産物は、まだまだある。「耕すシェフ」の仕掛け人である邑南町商工観光課の寺本さんが、こんな話をしてくれた。

「安達さんがここに来た頃、疲れていた。遅刻ばかりしていた。でもしばらくすると元気になった。たぶん、都会にいた時は何百万人のひとりだったんでしょう。ここにくると一万人のひとり。役立ち感が全く違う」

そのことを如実に表すバロメーターがある。「ありがとう」と言われることが圧倒的に増えたというのだ。さらにいえば、安達さんが「ありがとう」ということも増えた。感謝のコミュニケーションは、人を元気にする。それが都会では、どんどん少なくなっている。

安達さんは、自分で作る野菜以外に、先生となっている農家など、何軒かの農家をまわって野菜を買っている。その際、幾つもの質問をする。何という名前の野菜か、から始まり、おいしい野菜の作り方、見分け方、おいしい食べ方……。聞かれるたびに、農家の人は答える。ほとんどは、当たり前だと思っていたようなことがらだ。でも苦にならない。苦にならないどころか、答えるのが楽しくて仕方ない。毎日、早く安達さんがこないかな、話がしたいな、と思うようになったという。

そうなのだ。野菜の話をするのは、楽しいことなのだ。こんなに楽しいことを、なぜ今までしてこなかったのか。それを安達さんが気づかせてくれた。そして、今日も安達さんは「ありがとうございました」といって帰って行く。

これが、あすはない、都会に出るしかないとみんなが信じてきた田舎に、実は眠っている「実力」なのだ。

そのことを、安達さんは、こんな言い方で表現してくれた。

「すごくおいしい水もあって、森もあって、全部あるじゃないですか、いいじゃないですかって言うんですが、地元の人は、なんかやっぱりスーパーとか色んなものが買える場所があった方が若い人はいいんじゃないか、という考えをもっているらしいんです。そうではなくて、地元の人が持っている色んな知恵とか、自立して生きていける力とか、そういうことを今すごく必要としていて、それを学びたくてきているんですね」

安達さんの言うことが常識になれば、地方は激変する。都会に住む人を巻き込んで、日本全体が大きく変わると、私たちは確信している。

第四章　〝無縁社会〟の克服
――福祉先進国も学ぶ〝過疎の町〟の知恵

（NHK広島取材班・井上恭介）

「税と社会保障の一体改革頼み」への反旗

本当にそれだけの膨大な額のお金を、自分たちでまかなえるのだろうか。選挙でどこの政党が勝とうとも、どんなに素晴らしい改革が成し遂げられようとも、結局は自分たちの財布の問題として突きつけられることになる、「税と社会保障」の問題である。

ギリシャで起きたことは、あの国がいいかげんだったからだ。そう思いたくなる気持ちは、わからないでもない。でもそれは、見たくないものから目をそらしているにすぎない。国にお金がなくなり、年金や社会保障が切り捨てられたのは、ギリシャだけではないのだ。フランスでも、同じようなことが行われた。どうにもならなくなる前に、国民の猛反対を押し切って、自分たちで切りつめる決断をした。おかげでフランスの財政は、当面の破綻《はたん》を免れた。日本は国と地方あわせて一〇〇〇兆円もの借金をかかえている。今後いつごろまでにどうやって返していくか、目途《めど》がたたないばかりか、高齢化はますます進む。働かなくなった後、生活の頼りとなる年金に病気になった時の医療費、一人で生活できなくなった時の介護保険。お年寄りばかりの国になるのだから、必要なお金は膨らむ一方だ。危険は膨らんでいる。

本当にそうした苦しみをかかえるしかないのか。高齢化による社会コストを全部まかなうだけの膨大な資金を用意するか、老後の生活レベルを下げて支出を削り、集めなければならない資金の総額を減らすかという二者択一しか、選ぶべき道はないのだろうか。

その常識を疑い、別の道もあるのではと考えるのが、里山資本主義だ。お年寄りは金食い虫で足手まといと、なぜ決めつけるのか。本当に年金がなくなったら飢えるしかないのだろうか。産業力のない田舎は役立たずと、なぜ決めつけるのか。

この問いかけは、日本の社会をむしばみ続ける「無縁社会」への問いかけでもある。ふるさとを離れて都会に出たもののうまくいかず、地縁、血縁から切り離されて孤立する人が、ひとりさびしく亡くなるケースが急増している。彼らが最後の最後にすがるのは、親の年金であることが多いそうだ。

「最後の頼みの綱が年金であること」が、今の状況を象徴的に表している。もともとあった地縁や血縁のセーフティーネットを古くさいものとして忌み嫌い、そこから抜け出して豊かさや幸せを追い求めた時代。その究極の形が、誰の世話にもならず、若いとき積み立てた備えで悠々自適の老後を送る年金の仕組みだ。残念ながらこの仕組みは、経済成長がいつまでも続くことを前提にしている。しかも、老人ばかりが増える社会を想定して設計されていない。議論され続けている「税と社会保障の一体改革」は、そうした設計を、ある種の「微調整」によってしのごうとするものだといえる。

しかし今、私たちが本気で取り組むべきは、新たな前提を受け入れた上での根本的な「再設計」ではないのか。田舎を捨てて都会に出ても、多くの人が「たくさんお金をもらえるようになるという成功」を期待できない「成長の鈍った時代」。せっせと積み立てた年金のお金だけを頼りに老後を設計するのは心許《こころもと》ない時代。政治や官僚がだめだと嘆いたり、お先真っ暗と絶望したりするしかないのだろうか。

全くそんなことはない。できることはいくらでもある、という力強い試みが中国地方の山あいで進んでいる。

「ハンデ」はマイナスではなく宝箱である

広島県庄原《しょうばら》市の道を走ると、人には全く出くわさなくても、必ず出くわすものがある。「空き家」だ。長く放置された家の軒が崩れ、無残な姿をさらしている。そんな光景を見続け、なんとかしなければ、と考え続けた末に、空き家やお年寄りばかりの地域だからこその「福祉の実験」を思いついた人がいる。高齢者や障害者の施設を運営する、庄原の社会福祉法人の理事長、熊原保《くまはらたもつ》さんだ。

熊原さんは、和田芳治《よしはる》さんの近所に住み、「過疎を逆手にとる会」の主要メンバーのひとりとしてがんばってきた方でもある。多くの人が「こんな田舎に未来はない」と決めつけ、思考停止に陥っているのを尻目《しりめ》に、人がまばらなことをメリットととらえ、活《い》かすことで目の前の課題を解決する道を模索してきた。和田さんのひとまわり下の世代。時に挑発的なもの言いで人を引っ張っていく和田さんとは違い、めがねの奥の小さな目がいつも静かに笑っている、細身の紳士だ。

熊原さんがなんとか活かせないか、と取り組んだのが「空き家」の活用だ。「ふるさとを捨てる人があとをたたない」と嘆くよりも、「ただで使える地域の資源がまた増えた」と前向きにとらえよう、というわけだ。考えてみれば、すぐに使える立派な建物がごろごろあるというのは、一般的にはうらやましい環境だ。都会の人々は、高い家賃を払って土地や建物を借り、その高い家賃を払うために、せっせと働いている。不動産のコストが低いことは、強みであるはずだ。

熊原さんは、地域のお年寄りが集まるデイサービスセンターなどにして、空き家の活用を進めている。人が住まなくなって長くなると、どうしても建物が傷んでしまうので、できるだけ早く活用法を見つけ、動き出す。朽ちた姿をさらすと、まわりの人も寂しくなって気落ちしていくが、逆に再生するさまを見せられれば、地域の元気の源になる。デイサービスの拠点が作れれば、地域の若者の雇用も進む。なかなか働く場が見つからない地元の若者にとってもうれしいことだし、若者が近くでいきいきと働くことは、地域にも活気をもたらす。確かに、借りるための手続きは煩雑で、空き家の活用は思ったほど簡単には進まない。でも、あきらめてはいけない。少しずつ成功例を増やしていけば、道は広がっていく。熊原さんは、そう信じ、着実に実行している。

道を歩いていくと、次から次へと空き家が無残な姿をさらすふるさとの風景。「これをずっと見てきた」という、熊原さんの原点ともいうべき風景を見ながら、なぜここでがんばるのか、がんばれるのか聞いた。熊原さんならではの、地方での生き方を話してくれた。

「福祉も過疎問題も同じなんですよ。あんまりいい言葉ではないけれど、ハンデのある人、地域。マイナスの多い人、地域。それを弱者とは、私は思ってないんです。実は玉手箱のように光り輝くものがあると思ってるんですね」

ハンデはマイナスではなく、玉手箱であるという逆転の発想。それが熊原さんのがんばりを支えているという。それを信念として持つことができれば、未来に希望をつむいでいく原動力になるというのだ。

なんというプラス思考だろう。そこに負け惜しみはない。熊原さんは全然無理をしていない。私たちは彼の話を聞き、実践の現場を見ていく中で、我々の頭を占領する常識の貧弱さに気づいていく。

高齢化すること、過疎になることをひたすらマイナスととらえ、悲しみ、恨んでばかりいる発想がいかに貧しいことか。ありのままを受け入れ、その中でみんなができることを見つけていけば、「若い社会」とは異なる形の、穏やかで豊かな「成熟した社会」がありうるのだ。

それはどんなものか。我々の目の前で、まさに同時進行で進められた実験的取り組みが、私たちの目から鱗《うろこ》をぼろぼろと落としてくれた。

「腐らせている野菜」こそ宝物だった

雪が降りしきる冬、熊原さんは、その日もお年寄りの施設で、デイサービスを利用しにやってきたおばあさんと、穏やかな会話を交わしていた。そして、突然膝《ひざ》をうち「そうだ、それを使う手があった。早速とりかかろう」と動き出した。どんな会話があったのか。

おばあさんは、こういったのだ。「うちの菜園で作っている野菜は、とうてい食べきれない。いつも腐らせて、もったいないことをしているんです」

少し解説が必要かもしれない。デイサービスに通ってくるお年寄りは、施設で会うと「一方的にお世話されているだけの人」に見える。年齢は多くが八〇を超えているし、腰も曲がっている。歩くスピードも遅い。でも家に帰ると、立派に自立している。それどころか、毎日元気に畑に出て、野菜を育てているのだ。市場に出荷するほどは作っていなくても、自分が食べる分くらいは、ほとんど全部自給している。その野菜が余る一方で、腐らせているというのだ。

ベランダのプランターで野菜を作ったことのある人ならすぐわかることだが、なすでもトマトでも、一株ちゃんと育つと、次々実をつけて、とたんに食べきれなくなる。まして彼らは何十年もプロの農家としてやってきたベテランだから、野菜づくりのうまさは素人の比ではない。しかも一人暮らしや、老夫婦だけの家庭では、毎日食べる量などたかがしれている。結果、どんどんなって、どんどん腐らせているのだ。

地元で生まれ育った熊原さんが、そのことを知らなかったわけではない。もちろん知っていた。だが、熊原さんのような人でも、ある種の常識にしばられていた。その野菜を施設の食材として使うという発想が、全くなかったのだ。

熊原さんは、施設の経営を少しでも改善できないか、日々頭をひねっている。地方は老人が多いからといって、楽に経営できるわけではない。介護保険のお金だけで悠々と維持できる仕組みには到底なっていない。働く人に払える給料も決して高くない。かなりきつい労働条件であるにもかかわらず、介護だけでは十分食べていけず、アルバイトと掛け持ちの人が多いというのが、全国的な傾向となっている。

しかし、高齢化が加速度的に進むなか、地方が社会として機能していく上で、こうした施設、あるいは社会福祉法人といったものの存在は欠かせない、と熊原さんは考えている。昔ながらのつながりがほころび、過疎化でダメージが拡大する中で、施設が人工的にでも取り持つつながりの意味は、ますます大きくなると考えるからだ。だから熊原さんは、現状の制度の上にあぐらをかくのではなく、チャレンジをするようにしている。少しでも施設の運営に余裕が出るよう、少しでも働く人の待遇が良くなるよう、できることは何でもしてやろうと。

そんな熊原さんでも、これまで施設で使う野菜を、市場以外のところから買うなど、思いも寄らなかった。食材の調達とはそういうものだ、という固定概念に縛られていたのだ。

「公的性格の強い施設のようなところで毎日大量に消費するものは、大量の物資を集めては売る物流システムから調達すべきで、その方が合理的なのだ」という固定概念だ。

施設の調理場に積まれている野菜は、県外産ばかりだった。市場の価格競争を勝ち抜いてきた優等生の野菜たちである。職員たちは、少しでも仕入れ値が安いところを選ぼう、食材費のかさまない献立を考えようと努力はしていたが、自分たちの足元は見ていなかった。そんなある日、お年寄りとのなにげない会話の中で、突然気がついたのだ。お年寄りの作る野菜を施設で活かせばいいではないか、と。食べきれない野菜を活用していけば、食材費を劇的に抑えられる可能性がある。

「役立つ」「張り合い」が生き甲斐になる

この「気づき」は、施設にとってだけでなく、地域にとっても実に大きな意味のある気づきだった。それが、アイディアがとんとん拍子で進んだその後の過程から見えてくる。

熊原さんは、施設の職員に早速アンケートをとらせた。「みなさんの作った野菜を施設の食材として使わせてもらえますか?」すると、デイサービスに通ってくるお年寄りをはじめ、一〇〇軒ものお宅からまたたくまに、是非提供させて欲しいと返事が来たのだ。

そのうちの一軒、入君《いりきみ》ハルコさんのお宅を訪ねた。入君さんは夫の弘司《ひろし》さんと二人暮らし。

八〇代の夫婦は、施設のパジャマのような姿だと、いかにも「お世話の必要なお年寄り」だが、自宅を訪ねるとたくましさにあふれている。菜園は意外なほど広く、どう考えてもふたりでは食べきれない大量の野菜が植えられている。でも、それくらい育てないと畑の地力が落ちてしまうのだと、教えてくれた。

以前はそれほど腐らせることはなかったのだ、と入君さんはいう。近所づきあいが盛んで、家で作ったものであれこれ料理し、始終交換していたからだ。

「お団子を作ったから食べんさいと持って行ったり、混ぜご飯を炊いたけえ食べんさいやってもらったり、親しくしてね」

だが、そうしたつきあいをしてきた家の多くが空き家になった。同じ世代が次々亡くなり、家を継ぐ人もなく、集落はさびしくなった。入君さんたちは同時に、大事なものをなくした。「張り合い」である。そんな時、熊原さんたちから問い合わせを受けた。二つ返事でＯＫした。役に立てるのがうれしい、といって。

試験的に施設で野菜を集めることになって、入君さんのお宅にも連絡が入った。夫婦は前日から、納屋にたまねぎやじゃがいもをどっさり用意して、待ち構えた。その顔はいきいきと輝いている。

「うれしいですよね。ありがとうと言ってもらおうなんて思ってなかったのに、それくらいのことで助かるんじゃね」

地域で豊かさを回す仕組み、地域通貨をつくる

熊原さんは、アイディアマンの和田さんたちと相談して、さらに地域が活気づき、豊かさを実感できる仕組み作りに動いた。野菜の対価として、地域の中で使える「通貨」をつくろうというのだ。

施設の調理場に運び込まれる野菜は県外産ばかり、と書いた。それは、その分のお金が地域の外に流出していることを意味する。それを払わずに地域の中で買うと、お金が地域にとどまる。さらに対価を地域の中でしか使えない仕組みにすると、「豊かさ」が地域を巡回することになる。エネルギーなどで繰り返し説いてきた里山資本主義の極意を、ここでも活かそうというわけだ。

熊原さんは、法人の施設が支払ってきた年間一億二〇〇〇万円の食材費のうち、一割分をお年寄りの野菜などでまかなう目標をたてた。提供してくれたお年寄りには、対価として地域通貨を配る。お年寄りは、それを高齢者施設でのデイサービスや、社会福祉法人が経営するレストランなどで使えるようにした。地域の仲間が画用紙に向かい、にこにこ顔のデザインの地域通貨ができあがった。

発案者の熊原さんも興奮を隠せない。「今まで外に出ていたものが地域のお年寄りに入ったとしたら、そりゃ色々なことが動き出すことになりますからね。地域興しができていくひとつのカードになるんじゃないかな」

初夏、職員が施設の障害者を伴い、ワゴン車でお年寄りのお宅をまわり始めた。玄関を開け、用件を伝えると、仏頂面で現れたお年寄りが、みんな笑顔になる。畑に入って、一緒にダイコンを抜く。

ワゴン車は入君さんのお宅にもやってきた。縁側で入君さんが待ち構える。夫の弘司さんも畑から急いで戻ってくる。

菜園ではチンゲンサイが食べ頃になっている。職員が生を口にする。「おいしい！」と声をあげる。笑顔の夫婦が声をかける。「段ボールいっぱい、収穫しましょう！」

上機嫌の入君さんは、職員をさらに納屋に案内する。前の日に収穫したホウレンソウも、もっていってくださいというわけだ。

この日入君さんが提供したのは、チンゲンサイ一八キロ、ホウレンソウ一〇キロ。施設三〇〇人の一日分が確保できたことになる。

そして、お礼に地域通貨をいくら差し上げるか、査定が始まる。職員が、「きょうはとても新鮮なものをいただいたので、広島の中央卸売市場の価格で買い取らせていただきます」

と切り出すと、入君さんはあきれ顔。「そんなのだめよ。ただで持って行ってもらってもええんじゃから。おじいさんは、いつも木の根っこに持って行って腐らせてるんじゃから」。押し問答の末、市場価格の半額の値段に落ち着いた。にこにこデザインの地域通貨が渡される。

地域通貨をはじめて手にした入君さん。はじめてのお使いでお駄賃をもらった子どものように、地域通貨を手に弘司さんのもとに歩み寄る（動きがスローな入君さんなので「歩み寄った」が、子どもなら「駆け寄った」に違いない）。

「おじいさん、これでレストランに行ってご飯を食べたりしてくださいって！」

弘司さんが職員に向き直り、笑顔をはじけさせる。「ありがとうございます！」

弾んだ声が、空き家だらけの集落に響き渡った。入君さんがしばらく忘れていた「張り合い」を取り戻した瞬間だった。

地方でこそ作れる母子が暮らせる環境

熊原さんの挑戦は、まだまだ続く。

レストランで地域通貨が使えると書いた。このレストランも、お年寄りの野菜活用と並行する形で作られることになったのだが、いったいどんなものなのか。なぜ社会福祉法人が経営しているのか。実はそこに熊原さんが目指す、「ハンデがマイナスではなく玉手箱となる社会」の進化形が見事に表現されているのだ。

レストランは、ただのレストランではない。敷地の隣に保育園が併設されているのだ。こちらも熊原さんの法人が運営している。

朝、いつものように見られる保育園の登園風景。ところが、子どもを送り届けた母親の一人は、そこから隣の建物にダッシュする。彼女は、レストランの調理場で働いているのだ。中国地方の山あいでは、たとえ意欲はあっても、子育て中の母親が、ちょうどいい仕事を見つけるのは容易なことではない。そもそも就職先が少なく、パートタイムも限られる。遠かったり、時間があわなかったり、周りの目も気になったり。熊原さんは、そんな母親に理想的な働く環境を作りたかった。

働くチャンスを得たひとり、榎木《えのき》寛子《ひろこ》さんはこう語る。「主婦になって五年以上たっていたので、社会に出て仕事モードで働くことに抵抗があって、自信がなくて。ここだったら、子どもの顔も見える場所ですし、こういう場所じゃなかったら、躊躇《ちゅうちょ》していたかもしれません。私にとってすごく魅力的でした」

もちろんレストランでの雇用はたった二、三人に過ぎない。しかし、世の中へのメッセージがある。お母さんと子どもが生き生き暮らせる環境が、地方でこそ作れるのだというメッッセージ。その発信が大事なのだ。

田舎には、子どもが育つ上で、都会の真ん中では望めないうらやましい環境が用意できる。春、園児たちは毎日のように先生と一緒に近所の田んぼや川のあぜみちに出かける。ふきのとうやつくしをつんで大喜び。元気な声で、収穫を先生に報告している。その様子を目にすると、多くの親が、こんなところで子どもを育てられたらと思う。

しかし、田舎にはハンデがある。働く場所が少ないというハンデだ。ほとんどの場合、そのハンデにぶちあたった時点で、田舎は声をあげることをあきらめてしまう。

しかし、都会にも大きなハンデがあるのだ。働きたくても子どもを預ける保育所がないというハンデ。待機児童の問題は、長年解決できない日本の社会問題だ。ようやく今、保育所の拡充が叫ばれ、お金をかけて整備が進められようとしている。しかし今、都会では、就職難や、子どもをもうけて養うことさえ難しいほどの低収入の問題が浮上している。日本の将来を託す子どもを、どこでどのように育てるのか。社会としてどう親を支援していくのか。時代を見据えた議論と対応が、今こそ求められている。その状況に、熊原さんは一石を投じているのだ。

お年寄りもお母さんも子どもも輝く装置

職場の隣に保育園をつくることで克服される、地方の母親のハンデ。熊原さんはこの装置で、それ以外にもいくつものハンデを、オセロゲームの絶妙の一手のように黒から白へひっくり返していく。

その一つが、田舎のお年寄りが結構苦労している、楽しくランチをする場所がないというハンデだ。

このレストランは、もともと経営がうまくいかず、廃業した店を買い取って改装された。お客はそんなに見込めない。だが、近所のお年寄りは、たまにこの店でランチをし、普段はなかなか会わない少し遠くに住む友達と過ごす時間を楽しみにしていた。熊原さんは、そのような話をまわりから聞いて、レストランの復活を思いついたのだ。

改装オープンした店に友達をひき連れ、おしゃれをしてやってきたお年寄りがいた。近所に住む一二三《ひふみ》春江《はるえ》さんだ。

夫を亡くした後、一二三さんは大きな家にひとり暮らし。このごろは、畑仕事に出たついでに、あちこち当てもなく散歩する。道で誰かに出会わないか、立ち話でもできないか、そのための散歩だという。そうして話すことがなければ、一日ほとんど誰とも話さない。さびしくてしょうがないのだ。

だから、改装オープンしたレストランでする友達とのランチ、その楽しいことといったらない。明るい外光に包まれたテーブルには、何度も大きな笑い声が響く。

友達を引き連れてやってきた一二三さんは、なんだか誇らしげだ。財布の中には、地域通貨。ランチに使われる野菜の一部は、一二三さんの菜園から提供されたものなのだ。カボチャのグラタンが運ばれてくる。一二三さんの畑からいただいたカボチャだと説明される。みんながおいしい、おしゃれな料理だとほめる。そして会計の時、一二三さんの地域通貨が大活躍する。一二三さんが笑って話す。「また、がんばって畑仕事をしなきゃ。張り合いが出ました」

楽しみは、これだけでは終わらない。希望すれば、隣の保育園で子どもたちと遊ぶことができるのだ。お年寄りたちに「ランチ弱者」を克服してもらった次の瞬間、今度は「孫世代と触れ合えない弱者」であることまで克服させてしまう装置を、熊原さんは用意していたのだ。

一二三さんたちは、子どもの輪の中に入ると、またたく間に幼い心をつかんでいく。昔はよく歌った童謡や子どもの目を引く身振り手振り。昔の遊びを手取り足取り教えながら、リードしていく。考えてみれば、みんな何人もの子どもを育ててきた大ベテラン。単にお年寄りが楽しいばかりでなく、子どもにとっても保育園にとっても、大助かりな仕組みなのだ。

しばらく遊ぶと、お昼寝の時間になった。「じゃあ、きょうはこれでおしまい」と先生が子どもたちに告げる。子どもたちが泣き出す。「もっと、遊びたい！　次はいつくるの？」一二三さんは質問責めにあう。なんと愛らしく、胸熱くなる質問責めだろう。お年寄りにも、子どもにも、保育園の先生にも、さらにいえばお母さんにも、幸せが満ち広がっていく。

その場に居合わせたお母さんのひとりが、この装置がなぜ素晴らしいのか、言い当てた。

「孤立した私と子どもが、保育園に行って先生に預けて帰るという、ただ単にそれだけの関係ではなくて、周りの人に生かされている、それがすごく温かい。私もすごく安心しますし、子どもも色々な人との関わりを通して、学ぶものがたくさんあるんじゃないでしょうか」

無縁社会の解決策、「お役立ち」のクロス

この方法には、従来の社会問題についてまわっていた「孤立」がない。

これまで我々が発達させてきた社会は、様々な立場の個人を分断し、問題ごとに解決策を講じ、お金をかけて解消していくという道筋をたどってきた。老人も、子どもも、働きたいのに子どもが預けられない主婦も、みんな弱者として扱われる。でも、単体では弱者に見える人も、実は他の人の役に立つし、その「お役立ち」は互いにクロスする。クロスすればするほど助かる人が増え、それまで「してもらう負い目」ばかり感じてきた人が「張り合い」

に目覚め、元気になっていく。気がついてみれば、孤立していたみんながつながっている。

そこには、無縁社会の孤独の中、たったひとりの親の死を隠してまで、その年金にしがみつくといった寒々とした悲愴《ひそう》はない。孤立をなくすために何か対策を講じたのではなく、地域にいる、ハンデのある人たちをどうにか活かすことを考え続け、課題を克服した結果、孤立もなくなっていたのだ。しかも、かかるお金は課題ごとに講じる「対策費」より格段に少なくてすむ。これこそ、私たちが目指すべきアプローチではないか。

さらにいえば、このレストランでは、すぐ近くで取れたばかりの新鮮で安心な無農薬野菜を、当然のように使っている。安心と安全を求めて高級素材のスーパーで大枚をはたく都会人が聞いたら歯ぎしりしそうな素材を、いとも簡単に、しかも安価で手に入れている。今時は、大手の居酒屋チェーンやハンバーガーショップも「顔の見える生産者」の紹介をしようと、店舗に産地や生産者の名前を書いたり写真を貼ったり、手の込んだ仕組みをつくっているが、このレストランでは、生産者本人がやってきて、生産者も客も店員もなく、みんなでおしゃべりをして、ゲラゲラ笑っている。本当につながっている。

この仕組みでは、施設の障害者も活躍している。これまで多くの障害者は、授産施設（社会就労センター）と呼ばれる特別な場所で働くしかなく、外の人と接する機会が限られてきた。しかし、熊原さんが作り出したこの装置では、障害者のみなさんが重要なバイプレーヤーだ。お年寄りの家を回り、野菜を集めるチームに入っては、行く先々でお年寄りから「ありがとう」と声をかけられる。大きなダイコンを抜いては、「力持ちだね」とほめられる。レストランの給仕がかりも何人かが交代でこなす。お客さんと何気ない会話を交わし、しばしば笑いの中心にいる。

熊原さんは隣の保育園で、彼らが給仕の仕方を子どもたちに教える機会もつくっている。子どもたちは素直に感心し、「教えてくれてありがとう」と言う。同時に子どもたちは、世の中に体の不自由な人がいることを知り、そうした人ががんばっている姿を記憶に刻み込む。

無縁社会から我々日本人が脱出するヒントがここにある。

里山暮らしの達人

驚くべきアイディア。予想を超える怒濤《どとう》の展開。なぜ熊原さんは、こんな素敵《すてき》な仕組みを編み出すことができたのか。そこには、和田さんたちと二〇年も議論を繰り返し、自分たちの何が素晴らしくて、何が悪いのかを見つめてきた歴史がある。

私たちが和田さんたちの取材に行き、和田さんのアジトに里山の革命家たちを集めて収録するたび、黙々と火をおこし、おいしい鍋《なべ》やピザや燻製《くんせい》をつくってふるまう人がいる。和田さんの仲間からも一目置かれる「里山暮らしの達人」西山昭憲《にしやまあきのり》さんだ。「エコストーブ」も西山さんが改良を重ね、今の形を完成させた。私たちは、多くのアイデアのルーツともいえる達人の暮らしを見せてもらうことにした。

西山さんは、夜は九時か一〇時に寝るが、朝は三時に起きて活動を始める。畑の世話、草刈り、朝ご飯の支度。毎日が楽しくて楽しくて、のんびり寝ていられないという。

そんな西山さんだが、実は一度都会に出て就職していた。しかし、往復の通勤に時間を費やすばかりの生活は自分に合わないと考え、ふるさとに戻ってきた。今は、昼間は通信会社の技術者として働き、仕事が終わると里山暮らしという生活を送っている。

「時間になったら帰って、時間になったら寝て、次の日また時間になったら出て行くという繰り返ししかない、町の人は。田舎の人は、草を刈ろうとかなにをしようとか、することがいっぱいある。それがいいんです」

ある日は仕事帰り、投網《とあみ》を持ってちょっと近所の川にでかけた。下流にダムができたため、漁獲量が減ってしまった小さな川。地元の漁協が設定する入漁料は、一年で八〇〇〇円。そんな川でも、一家の夕食には十分なごちそうを提供してくれる。

橋の上には、妻の恵利香《えりか》さん。「あそこに魚が集まってるよ」と笑顔で指をさす。西山さんが網をうつ。きれいな放物線。小さな鮎《あゆ》が何匹もかかった。ダムの上流に閉じ込められたため、大きくならない鮎。「でもこれが、焼いても、燻製にしてもおいしいんですわ」と西山さんがうれしそうに語る。

帰り道、妻の恵利香さんは山に立ち寄る。木々の下にはしいたけのほだ木。大きくなったしいたけを、いくつかつんで帰る。

「買うよりも、できたのを採って食べる楽しみがある。きょうは何個かな。わくわくする楽しみ」

夕方、西山さんは縁側にどっかり座り、炭火で鮎を焼く。のんびり、じっくり。こうすると、鮎はびっくりするほどおいしくなる。そして、炭の赤い火を見ながら焼く時間自体が、至福の時だ。

夕食は、どこの料亭かというごちそうだ。先ほどの鮎は串《くし》ごと、西山さん手作りの木の食器に盛られている。隣には友だちが山で仕留めた鹿のたたき。そしてしいたけなどの野菜の皿。

孫のさやのちゃんが、「買ったものはどれだろう」と言いだし、みんなで数える。「しょうゆでしょ、ビールでしょ。ああ、わさびのチューブは買ったものだ」。さやのちゃんが無邪気にいう。「たまには、ごちそうが食べたい」。ごちそうとは何かと尋ねると「ラーメンとか、スパゲッティとか」と答える。みんな、爆笑だ。

別の日、西山さんは仕事帰り、どこかによって帰ってきた。おみやげがあると聞いて、恵利香さんとさやのちゃんが出てくる。バンからおろした新聞紙の包みを解くと、大きな自然薯《じねん じょ》。ふたりが歓声を上げる。

隣に、ちょっと変わった形に曲がった木の枝がある。「それは何？」「お母さんの肩たたき」。恵利香さんの頬が、またゆるむ。「うれしいおみやげじゃね」

その日の夕方、西山さんは小刀を持って縁側に座り、拾ってきた木を一心に削って、肩たたきを完成させていた。

西山さんの毎日には、里山暮らしの極意がつまっている。お金をかけず、手間をかける。できたものだけでなく、できる過程を楽しむ。穏やかに流れる時間。家族の笑顔。そして二一世紀の尺度で測り直すと、驚くほど高い生活の質。

そんな西山さんが、「これこそ、里山暮らしの一番の楽しみであり知恵である」と繰り返しいうものがある。「手間返し」という。

「手間返し」こそ里山の極意

手間返しとは、地域の人々が互いにお世話をしあい、お返しをする無限のつながりをさす。和田さんがお世話になったお礼に、メッセージを刻んだカボチャを送っていたのを覚えているだろうか。ああいったことを、みんなが手をかえ品をかえ、延々と続けるのである。

和田さんは、手間返しについてこう語る。「これが楽しいんですね。なにかしてもらったら、今度はどうやって返してやろうかと。それを考え、悩むのがまた楽しいんですね。どうやって驚かせてやろうか、わくわくするんです」

西山さん夫婦は、この「手間返しの精神」のありがたさが身にしみている。実は恵利香さんは数年前、乳がんを患い手術をした。術後も体調は思わしくなく、ふさぎこんでいた。そんな夫婦を励まし、救ってくれたのが、手間返し好きのお節介な地域の人たちだった。西山さんに草をひいてもらったとか、鮎の燻製をもらったとか、あるいは別にしてもらってないけど、とか言ってかまってくれる。その心遣いがうれしくて、集まりがあると無理してでも顔を出し、お手伝いをする。みんなと腹から笑ってすっきりする上に、しばらくすると、また何かが返ってくる。そんなことを繰り返しているうちに、気持ちも体調そのものも回復したのだ。

恵利香さんが、毎日通う場所がある。それは家の裏庭。「煎《せん》じて飲めばよくなるそうよ」と友人がくれたカワラヨモギという野草が茂っている。このヨモギを見るたび、煎じて飲むたび、心が熱くなる。

「まだ元気になれるぞ、負けるなよというメッセージというか、応援団がいっぱいいて、それがお薬の代わりになって元気になった気がする。温かい気持ちで、負けるもんかという気持ちになった。ありがたかった」

秋、隣の集落の祭りの日、西山さん夫婦はちょっとした包みをもって、出かけていった。知り合いの家で、祭りのごちそうを一緒にいただくのだ。

祭りはそもそも、ほとんど原価ゼロ円。子どもたちの衣装は代々受け継ぎ、化粧は地域のお母さんたちが受け持つ。家ごとに工夫をこらすごちそうも、ほとんどは自分たちで作ったり、もらったりしたものだ。メインディッシュは、この時季山で採れる、香りの良いきのこ「香茸《こうたけ》」をちらした昔ながらのこうたけ寿司《ずし》。

知り合いの家にあがりこんだ西山さん。座敷に向かう前に勝手場に顔を出し、持ってきた包みを解く。中には、この間山で掘ってきたあの立派な自然薯。「すごいわねえ」と奥さんたちの歓声が上がる。

座敷の真ん中の席に、家の長老である九〇歳のおばあさんがつくと、宴が始まる。気の置けない人たちとの楽しい時間。しこたま飲んだところで、家主に外へ連れ出される。長い竿《さお》を持った家主が向かうのは、大きな柿の木。欲しいだけ持って帰りなさいというわけだ。

持ってきた包みより大きな荷物をかかえ、楽しそうに祭りの行列を見物する西山さん夫婦。手間返しの極意の一端を見せてもらった。

恵利香さんは、最近がんが再発した。手間返しの温かいパワーで回復されることを心より祈りたい。

西山さんの言葉に、改めて耳を澄まそう。「東京かなんかだと、政府が悪いとか、何か絶対助けてもらわなければ困るとかいうけれど、僕らはそうではない。僕らが田舎の手間返しと呼ぶものは、お金じゃなくて人間の力。僕ができることをして、隣でしてあげて、僕ができないことを隣がしてくれる。僕が作れない時間を作ってくれる。僕が作れん時間を作ってもらったら、僕は手間で、またそれを返す」

日本にまだこの素晴らしい習慣が残っているうちに再評価し、二一世紀を切り拓く新たな知恵として磨いていかなければならない。

二一世紀の里山の知恵を福祉先進国が学んでいる

西山さんという達人の実践も原動力にしながら、和田さんたちが議論を重ね、知恵を出し合って作り出す「二一世紀の里山システム」。それは、東京などの都会を通り越して、直接海外の人たちに伝播《でんぱ》し始めている。

ある日、熊原さんの高齢者施設にヨーロッパの福祉先進国、フィンランドから来客があった。福祉関連の研究に携わる女性の大学教授、二人だ。近くで開かれたシンポジウムに参加したのだが、耳寄りな情報を得て、直接話を聞きにきたという。熊原さんは、大歓迎。早速、入君さんたち地域のお年寄りが週に一度デイサービスで集まる集会室などを案内し、施設のカフェテリアで話し込んだ。

まるごとケアの考え方や、お年寄りの野菜の活用による富の循環システムなどを、熊原さんが説明する。フィンランドの教授が身を乗り出してくる。

「私たちには、このような循環システムがありません」「これは素晴らしいアイデアであり、社会的革新です。衰退する地域や農村が生き残るチャンスを示しています。あなたの素晴らしい考えを持ち帰ることにします。我が国に輸出してくださいますね」

福祉の世界では二歩も三歩も先をいっていると思っていた国の専門家がべたぼめするのに、私たちも、熊原さん自身もあっけにとられた。

でもそこは、熊原さん。意見交換の最後をこう締めくくった。

「このやり方が、世界を救うかもしれないと思っています」

ここで注意しておかなければならないのは、この二人の教授が、東京の広告代理店の紹介もなく、大新聞の記事を見たわけでもなく、熊原さんの優れたシステムにアクセスしてきたことだ。今、世界中が草の根のネットワークを駆使して、地方で小さな花を咲かせた二一世紀の知恵をとりこもうと躍起になっている。世界は、経済成長を競う「表のグローバル競争」と並行して、一見静かだが激しい「草の根のグローバル競争」を加速させている。そのことを、我々日本人はもっと自覚しなければならない。

誰が二一世紀の新たな生き方を先に獲得し、豊かになるか。

日本有数の過疎地、中国山地は、世界に二一世紀の課題解決策を提示するトップランナーになる潜在力を持ち合わせている。そのことを、我々自身が自覚し、活かしきる態勢を整えなければならない。

第五章　「マッチョな二〇世紀」から「しなやかな二一世紀」へ
――課題先進国を救う里山モデル

（ＮＨＫ広島取材班・井上恭介）

報道ディレクターとして見た日本の二〇年

藻谷浩介さんとタッグを組み、片田舎と馬鹿にされてきた地方から発信される二一世紀の最先端を里山資本主義と名付け、その意義を世に問い続けて一年あまり。水と油のような両極端の反応に、驚いている。

「水」のように受け入れてくれるのは、無名の人の素敵《すてき》な生き方、今の生活を少しでも前進させる知恵に素直に反応し、取り入れる気質を持つ人々だ。こういう人は田舎にUターン、Iターンしても、単に地元企業で「職」を探すのでなく、お金うんぬんではない豊かさを見つけ出す嗅覚《きゆうかく》にすぐれている。

そうした志向の人は加速度的に増えており、都会から地方への流れができている。

鳥取県では、行政も把握しない形で地域に入り込み（もともとは、県のIターン募集のホームページが情報源だったりするそうだが）、地域社会に密《ひそ》かに溶け込んでいる若者も多い。「どうしてきたのか」と尋ねると「働きたくないから」と答える天邪鬼《あまのじゃく》。性格も見た目も「なで肩」で、無気力そうに見えるが、試しに人手が足りない地域の祭りを仕切らせたりすると、意外なほど粘り強く、最後まで責任を果たす。だから地域のおじさんたちの間でも、子どもたちの間でも大人気。やれ田んぼの草刈りをすると言っては助《すけ》っ人《と》に呼ばれ、一年中食べたい分だけ米をやると言われ、やれ土産物屋で手作りのストラップを作るといっては誘われ、夜中まで楽しく作業し、夕飯で余った食材をごっそりもらって帰って行く。

そんな若者を見て、ある程度から上の世代が思い出すのは、昔、祭りや地域の行事になると、決まって人々の輪の中心に陣取り、大活躍していた次男坊、三男坊の「気のいいおにいちゃん」たちだ。しかし戦後、そうした若者が高度経済成長を担う「金の卵」ともてはやされる中、「気のいいおにいちゃん」は次第に田舎から姿を消した。少し前までは、彼らが都会で夢破れたと帰ってきて、厳格な跡取りの長男に迎えられて養われる、といったこともあった。しかしその後、迎えていた長男までも都会に就職する時代となり、ふるさとの「迎え入れて養う力」は急激に落ち、そういう人もめっきりいなくなった。

私たち報道ディレクターがこの二〇年あまり取材してきたのは、そうした事態の進行の「裏表」を映す、様々な現象だったといえる。

今でも強烈な思い出が残る取材がある。バブル崩壊後の一九九〇年代、都心の電車の中で行き倒れて死亡したホームレスの男性が半日も座席に放置されていた、といういまわしい出来事が起きた。なぜ彼は電車の中で死ぬしかなかったのか？　同じような人がいるのか？遺品の中にあった池袋《いけぶくろ》駅発行の切符と喫茶店のマッチを手がかりに、池袋駅周辺のホームレスを約一ヶ月取材した。

景気の良いときはいくらでもあった建設現場の仕事が激減。「どや」に泊まるお金もなくなり、電車が動いている間は駅の地下通路で、終電が終わり駅のシャッターがしまると、駅周辺の飲食街の軒下で暮らしていた。体が思うように動かない人も多く、比較的元気な数人が、工事現場の日雇いの仕事でもらってきたお金でパンやカップ酒を買い、分けあっていた。

そのような中でも、数回はふるさとに帰ったことがあると話してくれたホームレスもいた。でも実家の敷居はまたがず、戻ってきたという。家にはもう帰れないとつぶやいていた、みつぐと名乗る男性。その時は「どの面下げて……」という意味だと受け取ったが、ふるさとの事情が大きく変わったことも、関係していたのかもしれない。

「故郷に帰るに帰れないホームレス」が都会の駅や公園、あるいは二四時間営業のファストフード店に増える一方で、ふるさとは空き家だらけになるという奇怪な事態。都会での脱落者はどんどん増え、日本は「無縁社会」なる言葉が流行語となる時代へ突入していった。

「都会の団地」と「里山」は相似形をしている

企業で比較的クリエイティブな仕事をしてきたリタイア組。その中でも、元気でがんばれる七五歳までの一五年の間に思い切って何かに打ち込みたいと考える人の多くが、里山資本主義を「水」のように受け入れてくれる。

庄原《しょうばら》の和田芳治《よしはる》さんは、こうした人たちを「高齢者」をもじって「光齢者」と呼ぶ。地方にとって頼りになる「光り輝く人材」という意味だ。「だいたい世の中というものは、たくさんあって余っているものを使うとうまくいくんです」と、和田さんらしい辛辣《しんらつ》な表現で解説してくれる。

確かに今、こうしたリタイア組の中に、「第二の人生は田舎で悠々自適」という選択をする人が相次いでいる。畑仕事は素人だが、知らないことでも一から学び自分のものにする訓練は、働いていた企業などで繰り返してきた。知らない人とつきあう訓練も十分積んでいる。

さらに和田さんたちが重視するのは、将来はともかく現在はまだ、リタイア組は多少のリスクを取れる「年金というセーフティーネット」を持ち合わせているということだ。「年金プラスアルファ」の「アルファ」だけ手に入れられれば、生活はぐっと豊かになる。現金の形で手に入れなければならないわけでもない。若い世代に比べ、ハードルがぐっと低いのだ。リタイアしたら田舎へという潮流を今のうちに作っておけば、地方活性化の人材は安定的に供給できていく。和田さんたちは、働きかけを急いでいる。

田舎の農村に第二の人生をかける人に、必要以上に「自然好き」「田舎好き」のレッテルを貼る向きもあるが、やめるべきだと和田さんたちは指摘する。世界一の物質的な豊かさを手に入れた成熟社会の経験者が、「薪《まき》のようにおいしく炊ける炊飯ジャー」に飽きたらずエコストーブに挑戦したり、「高級スーパーの有機無農薬野菜」に飽きたらず自分で作り始めたりするのは、そんなに不思議なことではない。

もうひとつ、彼らが渇望感を抱いているのがコミュニティーだ。今、都会のあちこちで開かれる祭りに飛び入り参加するのを趣味にする人が多いのは、そのひとつの表れであろう。若いうちは、誰にも干渉されない都会のドライな人間関係にあこがれても、年齢を重ねて落ち着いてくると、過疎化しているとはいえ、昔ながらの人間関係が残る田舎は良いところに見えてくる。

高齢者ばかりになった都会の団地で、「亡くなっていても誰も気づかず」という事態に危機感を抱き、コミュニティーの再生に汗を流すリタイア組と、地方に入り込んでがたがたになりつつある田舎のコミュニティーを立て直そうと意気込む人たちは、実はほとんど同じ志向を持つ人たちなのだ。

「里山資本主義への違和感」こそ「つくられた世論」

では、里山資本主義を毛嫌いし、成果を認めない、あるいは評価に値しないと門前払いする「油」のような人たちは、どのような人たちか。

かつての経済成長を取り戻すこと、あるいは競争の激しい新興国の成長市場での戦いに勝つことを日本再生の最優先課題に掲げる人たちだ。インドやアフリカに乗り込んでいく中国や韓国のバイタリティーあふれる若者に比べ、海外に行くのは嫌、温泉でのんびりしたいとか言っている日本の若者はなんだ、というのが、こうした論調が真っ先にあげる「嘆かわしい事態」だ。田舎がいいなどと言っている若者をほめる里山資本主義は、けしからんとなる。自動車やエレクトロニクスに代わる日本の稼ぎ頭を見出《みいだ》し、海外勢と渡りあって勝たなければ日本のあすはない、という論調。では、当の最先端を担う人たちは、本当に里山資本主義の精神を毛嫌いしているのだろうか。

私自身の一年あまりにわたる取材経験と見聞から、それこそ「作られた世論」ではないかと考えている。

次世代産業の最先端と里山資本主義の志向は「驚くほど一致」している

私は、東日本大震災をはさんでおよそ一年間、二〇以上の企業が一緒に「スマートシティ」のシステムをつくっていくプロジェクトの内部取材を許され、入り込んだ（広島に転勤してくる直前のことである）。週一回の会合のほとんどに参加し、いわばプロジェクトの一員として議論にも積極的に加わった。

参加企業は、まさに日本経済のあすを担う企業ばかり。主だったメンバーは、発電から家電、列車の運行システムから製鉄所の設計まで手がける総合電機メーカー、日立製作所。省エネビル開発で世界の先頭に立つゼネコン、清水《しみず》建設。経営不振に苦しんでいるとはいえ、太陽光パネルの技術は世界トップクラスを誇る家電メーカー、シャープ。世界的IT企業ヒューレット・パッカード（HP）の日本法人。リチウムイオン電池やスマートグリッドなどの企業を世界中で発掘し情報を駆使してビジネスチャンスにしている総合商社、伊藤忠《いとうちゅう》商事。中国はじめ新興国の不動産ビジネスへの展開を加速させる三井不動産。そうそうたる会社の切れ者、くせ者たちが顔をそろえる。そんな猛者《もさ》たちの会議を、世界各地、あるいは政界にも様々なネットワークを張り巡らせるコンサルティング会社の社長、佐々木経世《けいしん》氏が仕切っていく。

毎週三時間以上の時間を割き、会議にメンバーを送り込んでくることからも、この分野で世界のトップを走れるかどうかが、企業の「社運」を握っていることがわかる。数年後には数十兆から一〇〇兆円規模に膨らむと期待される世界市場で、どう主導権を握っていくか。会議で配られる資料には、どのページにも「極秘」の文字。個々の技術はもちろん秘密のものばかりだが、会議では中国・天津で進む巨額契約についての情報や、アメリカ・シリコンバレーでつかんだアメリカ当局の思惑に関する情報なども飛び交う。

前置きが長くなった。伝えたいのは、その議論の内容、つまり彼らが何を面白いと感じ、何をしていけば日本は世界の中で勝っていけると考えているか、ということだ。

先に結論をひとことで言えば、彼らが目指していたことは「企業版・里山資本主義」であり、「最先端技術版・里山資本主義」だった。

「スマートシティ」とは何か、まずそこから説明しなければならない。巨大発電所の生み出す膨大な量の電気を一方的に分配するという二〇世紀型のエネルギーシステムを転換し、町の中、あるいはすぐ近くで作り出す小口の電力を地域の中で効率的に消費し、自立する二一世紀型の新システムを確立していく。それがスマートシティだ。

中東UAEで建設が進む「マスダールシティ」などがその代表格。広大な未来都市を表現する豪華なCG映像から受ける印象は大規模でマッチョだが、大事なのは中身の繊細さであり、どこまでしなやかに様々な状況に対応できるかを、提案者である企業連合は競うことになる。

里山資本主義が競争力をより強化する

使う電力として重視するのは、身近に設置できる太陽光パネルや風力発電機で作った小口の電気だ。そういうとまた、「そんなもので日本のエネルギーが代替できるのか」と、反論を受けそうだ。

確かに、里山の革命家たちは、その反論に正面から異を唱えなかった。「日本全体のことはともかく、田舎で使うエネルギーの大きさを考えれば」と、ある種の逃げをうった。しかし、スマートシティの猛者たちは、反論が寄って立つ前提に異を唱える。「そんなことを言ってると日本は遅れをとってしまう。できるわけがないと言ってると世界で負けてしまう。それができるようオールジャパンの英知を結集させる時なのだ」

何を根拠にそんなことをいうのか。

日本企業は、一般の常識では想像もつかないレベルの省エネ技術を獲得しつつあるのだと、清水建設の技術者は胸を張る。「我が社の新本社ビルは、従来のビルが消費するエネルギーの五〇%を、減らすことに成功した」

だが、反論はまだまだ出てくる。でも、その反論を押し戻す答えはすでにある。

「電力消費のピークに、キャパシティー（許容量）を超えたらどうするのか」

「そうなった時、各家庭の冷蔵庫や洗濯機やエアコンの電気使用状況を調べ、今すぐにはいらないものから、手を突っ込んで（実際にはコンピューター制御によって）スイッチを切っていくシステムを開発し、改良を重ねている。これこそが今、アメリカのGEやドイツのシーメンスといった世界企業と日本勢がしのぎを削るスマートグリッドという技術なのだ」

「太陽光とか風力だと、自然の変化で電気が安定しないから、使えないと電力会社などが言うのを聞いたことがあるが」

「発電量の変動に対応し安定させる技術こそ、今日本が世界の先頭を走っている得意の技術だ。そこを強みに、我々は世界の受注競争を勝ち抜いていこうとしているのだ。日本の電力制御技術は世界一といってよい。震災のあと、計画停電で世の中の大混乱を引き起こしたのは、日本に技術がないからではなく、電力会社がいざというときの技術の使い方を学んでいなかったからだ」

巷間《こうかん》言われている、「再生可能エネルギーなんてうさんくさい」という「ある種の正論」が、いかに日本経済の次代の競争力強化にとってマイナスか、わかってくるだろう。日本経済や財界のためなどといっているが、とんでもない。

お隣の韓国では、済州島《チェジュド》という大きな島全体を実験場にして、ライバルに勝とうと国中が一丸となって頑張っている。そうした動きに、塩を送ってどうするのだろうか。

日本企業の強みはもともと「しなやかさ」と「きめ細かさ」

最後にもうひとつ、重要な反論に答えておきたい。

「でも結局、日本中が使う大きなエネルギーは、原発や火力発電所で大量に作った方が効率的なのではないか。いくら電気を使っても大丈夫というのでないと、工場でいいものは作れない。化石燃料は枯渇するなどと脅かされてきたが、シェールガスとかシェールオイルが安く掘れるようになって、まだまだ大丈夫だというのだし」

「確かに発電にまつわる産業は日本にとって重要で、中でも発電用タービンの技術では、世界と戦っていかなければならない。しかしそのことと、日本がエネルギー浪費社会にあぐらをかいていていいという話は、全く別だ。我々が今まで何を強みに世界と戦ってきたか。それは、省エネだ。そしてそれを成し遂げたのは勤勉な日本人のしなやかさ、きめ細かさなのだ。日本人の強みをこれからもっと特化し、のばしていかなければ、世界には勝てない」

毎週毎週スマートシティ企業連合の会議で、各社選《え》りすぐりの知恵者たちが研ぎ澄ましていたことは、これに尽きるのだ。

日本は、アメリカが牽引《けんいん》した二〇世紀にあっても、実は「アメリカ型のマッチョな資本主義」とは一線を画す姿勢で戦いに打ち勝ってきた。

自動車を見れば、それは一目瞭然《りょうぜん》だ。トヨタのお膝《ひざ》もとにある世界の自動車を集めた博物館に行くと、GMやフォードの往年の名車もずらりと並んでいるが、改めて驚くのはその「馬鹿でかさ」だ。一九六〇年代あたりのハリウッド映画で銀幕のスターが乗り回していた、羽のついたようなデザインの豪華なスポーツカー。ガソリンをガブガブ飲み込み、排気ガスと二酸化炭素をバンバン出しながら走っていた。これこそが、アメリカが世界に先駆けて達成し、世界中があこがれ、その後《あと》を追った「マッチョな資本主義の豊かさの象徴」たる自動車なのだ。そのようなアメ車でハイウェーをぶっとばしてショッピングモールに繰り出し、見渡す限り商品が積まれたスーパーで買い物をし、バケツみたいに大きなアイスクリームをかかえて食べながら帰る「マッチョな豊かさ」。

それに比べ、日本車のなんとこぢんまりしたことか。日本は、ただ小さいだけでなく、使用するガソリンを極限まで抑え、有害物質を極限まで出さない車を開発していくことで、王者の足元を脅かしていく。

アメリカが目指したものと一線を画したのは、完成品としての「製品」だけではない。「作り方」でも、しなやかさ、繊細さを発揮し、世界をリードしてきた。

エズラ・F・ヴォーゲル博士の『ジャパン アズ ナンバーワン』(一九七九年)がアメリカ人に危機感を抱かせ、日本人を勇気づけた一九八〇年代、この日本式の生産システムを本家のアメリカが学ぶ時代が訪れる。私は九〇年代に入ってすぐ、いち早くアメリカに生産拠点を置き「日本式の伝道師」となったホンダで取材をさせてもらったことがある。ホンダの系列に入ったアメリカの部品工場に熟練の技術者が入り込み、きめ細かな車作りを文字通り手取り足取り教えていた。作業を〇点数秒短縮できる工具や部品の配置を、アメリカ人の工員を巻き込んで工夫していた。アメリカ人たちは、根気良くカイゼンを続けるその姿勢に感嘆していた。

技術者のきめ細かな姿勢は、そのまま製品に映されていく。たいそうな発明でなく、ちょっとしたさじかげんで飛躍的に性能をアップさせていくその技は、多くの「メイドインジャパン」に共通するお家芸だ。

スマートシティは、まさにそうした「ニッポンものづくりの遺伝子」を受け継いだ人たちが、自分たちの強みを極限まで発揮しようとする場である。作り出した電力の数十%を無駄に捨ててしまうしかない現状のシステムは、二一世紀の人間のすべきことではないと考え、必要な分だけを作り、作ったら全部使い切ろうとする。

ビルは外光をできるだけ取り込み、使わないライトはその都度コンピューターが感知して消し、クーラーのききすぎた部屋のエアコンは切る。夏の昼間、どうしても電気が足りないときは、「その洗濯、夜中にしてもらえませんか。その分電気料金を安くしますから」と持ちかける（洗濯機にそういう選択の機能をつける実験が進められている）。

余ったら蓄電する。高性能のリチウムイオン電池なら、そんなにスペースもとらない。「もったいない」は安心のもとでもある。水道が断水しても困らない貯めおきの水があるようなものだ。家の駐車場にある電気自動車が積むリチウムイオン電池も、貯めおきのバケツがわりになる。多くの家庭の車が一日のうちに使われているのは、通勤と買い物と子どもの塾の送り迎えの時くらいで、あとは駐車場にとめられている。昼間、屋根につけた太陽電池がせっせと発電し、その電気を電気自動車に貯めておけば、家庭の夜の電気くらいは十分まかなえるようになるはずだ。清水建設のいう、今の半分のエネルギーで済む建物の技術をさらに洗練させ、街中に広げていけば。

これなら、東日本の多くの人が体験した、あの計画停電の悪夢は見なくてすむ。さらに、地球にやさしい暮らしをしていることは、とても気分が良い。誇らしい気持ちになる。

それこそ、里山資本主義を実践する人たちが感じている、誇らしい気持ちと同じものだ。

スマートシティが目指す「コミュニティー復活」

驚くなかれ、「スマートシティの精神」の里山資本主義との符合は、まだ終わらない。

スマートシティのシステムを導入するマンションは、エネルギーの効率的なシステムと共に、住民のつながり、みまもりを復活させるシステムを併せ持つことを目指しているのだ。どういうことか。

コンピューターのシステムが各家庭の消費電力を把握し、コントロールするということは、住民がどう暮らしているかという情報を管理している、ということでもある。こうした個人情報が漏れ出さないようにすることにも大きな努力と技術革新がつぎこまれている。そうした情報に加工を施した上で、使えるものは使っていこうというわけである。

全部の部屋の電気が消えたら家族は寝たのだなとわかる。テレビもエアコンも切られ、セキュリティーを外から確認できるスイッチが入れられたら、外出するのだなとわかる。ひとり暮らしのお年寄りが倒れていないかは、トイレの使用や、お茶を飲むために使うポットの使用をチェックしておけば把握できる（すでにそうしたことは、離れて暮らす家族のためのサービスとして始まっている）。ばらばらで、同じ建物に住んでいてもつながりが薄いマンション。そのつながりを取り戻すためにこのシステムを活用できないか、都会の孤独を解消できないかというのだ。

毎週の会議で、メンバーたちが一番目を輝かせて議論し、アイデアを出し合っていたもののひとつが、この「ITによるコミュニティー強化」だった。会合後の飲み会は、さらにこの話で盛り上がる。

実際にスマートシティのシステムを導入しようとするマンションの住民との会合でも、関心が集まるのは、ここだ。ただ便利なだけではない技術、人をきめ細かにいたわる技術であることが、住民たちの共感を集めていく。

ビジネスや技術の最先端を切り拓《ひら》こうとする日本人の多くは、ただ儲《もう》けたいのではない。むしろ、儲け以上に「理想」が大事なのだ。自分の目指す「人として、地域として、国としての生き方」を実現するためのビジネスや技術でありたいのだ。

その思いは東日本大震災後、さらに高まっている。会議で熱い議論をしていたその最中に大震災の異様な揺れを経験したメンバーたち。震災後のニッポンに自分たちが開発してきたことを役立てなければならない、といち早く声を上げ、被災地復興にスマートシティのノウハウをつぎこんでいくアイデアを出し、動き出している。

海外でも、企業軍団を仕切る佐々木氏は、ロシア・サンクトペテルブルクでの巨額受注に向け、動きを加速させている。

私が広島に転勤し、里山資本主義の「運動」を始めたあと、久しぶりに出張した東京で主要メンバーのひとりと夕食を共にした。彼は、席につくなり興奮気味に自分の構想を話し始めた。「昔、ご近所でしょうゆを貸し借りしたり、荷物を預かったり、安否を気遣ったりしたのと同じことが、マンションライフでも提案できないか、考えているんです」と。没交渉になりがちなマンションの人間関係をつなぎ直し、温かみを感じるコミュニティーにしたい。その理想を、彼は真正面からつきつめようとしていた。

私も、中国山地の元気なおじさんたちと取り組んでいる挑戦について話した。互いの話は刺激し合い、クロスして膨らんでいった。

「なんだ、完全に一緒じゃないか！」と爆笑した。我々は固く握手を交わし、これからも情報を交換し、刺激しあおうと約束した。

「都会のスマートシティ」と「地方の里山資本主義」が「車の両輪」になる

これからの日本に必要なのは、この両方ではないだろうか。都会の活気と喧噪《けんそう》の中で、都会らしい二一世紀型のしなやかな文明を開拓し、ビジネスにもつなげて、世界と戦おうという道。鳥がさえずる地方の穏やかな環境で、お年寄りや子どもにやさしいもうひとつの文明の形をつくりあげて、都会を下支えする後背地を保っていく道。

思えば戦後の日本、あるいは産業革命以降の先進国は、地方を切り刻んで都会につぎ込みすぎた。こんな小さな島国が、世界二位の経済大国に成長できたのは誰のおかげであったか、思いを致すべきだ。「金の卵」たちのおかげなのだ。多くの人材が、豊かで穏やかな農村から輩出されたことを忘れてはならない。良い意味での揺り返しを促し、本来のバランスを取り戻すべきだ。ただ昔に戻るのではなく、二一世紀の最先端を体現した車の両輪で。

人口減少の問題も、無縁社会の問題も。エネルギーや食が自給できない問題も、さらには次の国際競争を担う産業が生み出せない問題も。現代日本がかかえる様々な問題を、この車の両輪が解決していくのではないだろうか。

二一世紀の人類が掲げるもうひとつのキーワードは「多様性」だ。多様であることこそ豊かさなのだ。それは「もの」にもいえるし、「ひと」にもいえる。

大量に安く良いものが手に入るのが当たり前の時代。その時代を経た先に、個性が価値になる時代がやってくる。いうなれば、世界中の人が安くて温かいユニクロのシャツを着られる時代に、田舎のおばあちゃんの手編みのセーターがもてはやされる時代だ。

人に当てはめれば、こういうことになる。みんながみんな世界と戦う戦士を目指さなくてもよい。そういう人も必要だし、日本を背負う精鋭は「優秀な勇者」でなければならない。しかし、その一方で地域のつながりに汗を流す人、人間と自然が力を合わせて作り上げた里山を守る人もいていいし、いなければならない。そうした環境の中でこそ、人は増えていくのであり、次の世代の勇者がまたそこから育っていくのである。
そうして日本というシステム全体が、持続可能なものとなっていくのだ。

最終総括　「里山資本主義」で不安・不満・不信に訣別を

――日本の本当の危機・少子化への解決策

（藻谷浩介）

繁栄するほど「日本経済衰退」への不安が心の奥底に溜まる

「根本原因分析《ルートコーズアナリシス》」というのをご存知だろうか？　何かが起きている原因は何かを考える。次に、その原因が起きているそのまた原因は何かと考える。それを繰り返して、根っこの根っこにある本当の原因にたどり着く、そういう思考法のことだ。そのやり方で、現代の不安・不満・不信は何から来るのか、さらにその原因となっている何かは、何が原因で立ち現れたのか、と考えて行ってみて欲しい。

筆者は、今日本人が享受している経済的な繁栄への執着こそが、日本人の不安の大元の源泉だと思う。

マネー資本主義の勝者として、お金さえあれば何でも買える社会、自然だとか人間関係だとかの金銭換算できないものはとりあえず無視していても大丈夫、という社会を作り上げてきたのが、高度成長期以降の日本だった。ところが繁栄すればするほど、「食料も資源も自給できない国の繁栄など、しょせんは砂上の楼閣ではないか」という不安が、心の中に密《ひそ》かに湧き出す。この不安は理屈を超えたある種の実感として、成長の始まり以来ずっとそこにあったのだが、周辺国が続々ライバルとして成長する中で、さらなる高まりを見せてきた。

ところで全体の繁栄が難しいということになると、誰かを叩《たた》いて切り捨てるという発想が出て来やすい。官僚がけしからん、大企業がけしからん、マスコミがけしからん、政権がけしからんと、切り捨てる側の気分で叩いてきたが、そのうちに、「自分こそが、そのけしからん奴らから巧妙に、切り捨てられている側なのではないか」と疑心暗鬼になる人が増えてきた。特に日本人の四人に一人を占める高齢者には、経済社会の一線を退いた結果として、世の中から置き去りにされるのではないかという危惧《きぐ》を抱く層が多い。やりがいのある定職を持てない若者も、自分は置き去りにされているという実感が強いだろう。これが不満となり、さらにはその不満を共有しないように見える（うまい汁を吸っているのではないかと思われる）一部の日本人に対する不信、日本を叩くことで自国の繁栄を図っているのかもしれない（!?）周辺国に対する不信となって、蓄積され始めた。

そこに来たのが大震災だ。温和なはずの日本の自然が突然牙《きば》をむき、一時的にだがお金があっても何も買えない状況が現出する。原発事故による放射能汚染で、国土の一部が麻痺《まひ》した状態が生まれ、誰も口にしないが当事者以外の心の中にも、ある種の取り返しのつかない喪失感が広がる。しかも南海トラフという、今度はもっとすごいのが来るかもしれないそうではないか。富士山や浅間山など、これまた可能性が高まっているという火山災害も心配だ。おまけに震災に連鎖したユーロショックと化石燃料価格の高騰で、国際経済競争は厳しさを増すばかりだし、日本の凋落《ちょうらく》（?）に乗じたように周辺国が領土的野心（!?）を表に出してきた。

さあいよいよ今度は日本全体が、切り捨てられる側になってきたのではないかと不安に思う層が増え、不安・不満・不信を共有することで成り立つ擬似共同体を形成し始める。そういう種類の擬似共同体に属することで本当に安心立命《あんじんりゅうみょう》を得られるのかどうか、はなはだ疑問ではあるが、一度属して少しでも仲間とつながった感覚になると、そこからはじき出されるのはイヤだ。はじき出されないためには、不安・不満・不信を強調しあうことで自分も仲間だとアピールするしかない。つまり擬似共同体が、不安・不満・不信を癒《いや》す場ではなく、煽《あお》りあって高めあう場として機能してしまう。

安倍《あべ》首相も、不安・不満・不信を解消する力量のある人物というよりは、自分と同じ目線で不安・不満・不信を共有し、自分の側に立って行動してくれる人物として人気になる。

これが選挙前に維新を押し上げ、そして選挙後には安倍氏への期待を高めている浮動票の意識、彼らに迎合した一部マスコミなどが形成している「世の空気」の構造だ。

マッチョな解決に走れば副作用が出る

このように連鎖した不安・不満・不信は根深いもので、厄落としに短期間で政権を交代させても解消されるものではない。そうするたびに問題はむしろ悪化するであろうし、現に悪化してきた。ではどうしたらいいのか。

経済的な繁栄への執着を捨てられれば話は早いのだが、人間社会が人間様ではなく仏様の集まりでない限り、無理というものだろう。それでは逆に、お金が最も大事という「マネー資本主義」的な発想法で考えるならば、不安の解消策はどのような方向になるのだろうか。

出てくるのは、日本の「マネー資本主義の勝者」としての地位をいかなる形をもってしても回復し、その金の力をもって土木工事で自然災害を封じ込め、周辺国には軍事力を強化して毅然《きぜん》として対峙《たいじ》する、というマッチョな方向だ。野田政権も特に領土問題ではマッチョ志向だったが、その「弱腰」を攻撃して出てきた安倍政権はさらに強気なことを言わざるを得ない。そこで出てきたのが「アベノミクス」という、公共投資の大盤振る舞いによる「国土強靭《きょうじん》化」と、金融緩和→インフレ誘導による景気刺激の組み合わせだった。

このマッチョな選択は、保守が聞いて驚く社会実験的な施策で、マッチョ的な発想ゆえの無理や、その結果としての不安点が多々ある。それらを指摘する経済学的な議論は他にも多いと思われるので、ここでは敢《あ》えて多くの紙幅を割かない。一言だけ述べておけば、何かすれば副作用が生じるのであって、ご都合主義者が願うような穏便な問題解決にはならない。副作用もなしにできるなら他の誰かがとうにやっている、ということは認識しておいた方がいい。

たとえば、海外がインフレ・日本はデフレということで進行して来た円高も、日本がインフレ気味になれば円安に転じるが、そうなるとGDPの十数%を占める輸出関連産業は息をつける反面、GDPの八割以上を占める内需関連産業は輸入燃料価格の上昇に直面する。実際問題として、上がるだけ上がった円が円安に戻り始めた二〇一二年の秋以降、日本の貿易赤字はむしろ拡大している。尖閣《せんかく》問題などの影響もあって対中国を中心に輸出が下がり始めた一方で、円安で化石燃料代は値上がりしているからだ。二〇一三年になり、ガソリンや灯油も値上がりし始めたので、平和ボケならぬ円高ボケから醒《さ》めて、円安＝生活費上昇であるという当たり前の事実に気付いた人も、ようやく出てきたのではないか。

株価が上がるのは皆さん歓迎だし、事実これまでの日本の株価は投資利回りの実績からみても低すぎたことは間違いない。しかし国債に流れていた資金が株に流れれば（それは本来正常なことだが）、異常に額の膨れ上がった国債の新規の消化には次第に困難が出てくることも予想される。足元の金利を見ている限り、まだその兆しがないのは幸いだが、これは欧州の経済が絶不調で、投機筋の資金が相対的に状況がましな日本に向いているという理由が大きいだろう。欧州の難局打開に少しでも明るい見通しが出てくれば、風向きが変わることは十分ありうる。

このように経済という複雑な問題は、肩こりにも似ていて、一時的にほぐすことはできても、もみかえしのような副作用もなしにすっきり問題を消してしまうような解決策はないのだ。

「日本経済衰退説」への冷静な疑念

だがそれはそうとして、以下ではもっと根源的な問題を考えたい。それは、「戦後の日本人が享受してきた経済的な繁栄は、本当に失われつつあるのか？」ということだ。筆者は、人々の不安・不満・不信をかきたてている「日本経済衰退説」は、「みんながそういっているんだからそうなんだろう」という以外にはっきりした根拠のない、一種の集団幻想なのではないかということを問うている。

次節から個別に「日本経済衰退説」の根拠を検討していくが、結論を先取って申し上げれば、戦後の日本人が享受してきた経済的な繁栄は、別段失われていないし、事実をしっかり認識し、ゆっくり落ち着いて適切に対処する限り、今後とも失われない。さらにいえば、仮に今のマネー資本主義的な繁栄がゆっくりと弱まって行くようなことがあったとしても、里山資本主義的な要素を少しずつ取り入れて行けば、生活上はそんなに困ることもない。筆者は「何もしないでも大丈夫」とまで言っているのではないが、事実をしっかり認識し、ゆっくり落ち着いて適切に対処すれば、問題はないと言っている。「大地震も大噴火も来るだろうが、それで日本が終わりになることはないし、あなたも私も十中八九どころか一〇〇に九九九は大丈夫だろう」というのと同じような話である。

納得できるだろうか？　どうかこの先を読んでからお考えいただきたい。

そう簡単には日本の経済的繁栄は終わらない

「戦後の日本人が享受してきた経済的な繁栄は、別段失われていないし、事実をしっかり認識し、ゆっくり落ち着いて適切に対処する限り、今後とも失われない」

「仮に今のマネー資本主義的な繁栄がゆっくりと弱まって行くようなことがあったとしても、里山資本主義的な要素を少しずつ取り入れて行けば、生活上はそんなに困ることもない」

筆者のこの指摘は、世の空気＝真実だと思い込む人からは、「根拠なき断言」と言われるだろう。だが逆に、「戦後の日本人が享受してきた経済的な繁栄が、とうとう失われつつある」と語る人こそ、何が根拠でそう断言するのか。基本的な数字すら確認せず、空気に流されているだけではないのか。そこで以下では、「日本終末党」の党員になった気分になって、代表的な「日本経済ダメダメ論」を列挙し、その根拠を確認してみよう。

ゼロ成長と衰退との混同――「日本経済ダメダメ論」の誤り①

「日本の経済的な繁栄が失われつつある」とする根拠のトップに出てくるのは、恐らく経済成長率だろう。一九九〇年のバブル崩壊以降、日本のＧＤＰは全然伸びていない、という話だ。確かにバブル崩壊後のいわゆる「失われた二〇年」に、名目ＧＤＰは一・一倍にもなっていない。ゼロ成長と言ってもよく、先進国の間でも目立って取り残されている、いわば一人負けの状況だ。

しかし冷静に考えて欲しいのだが、過去二〇年間でみれば日本のＧＤＰ総額は増えていないが、減ってもいない。バブルの頃世界最高だった一人当たりＧＤＰも、今では世界一七位だというが、絶対額ではこの間も微増している。それどころか生産年齢人口（一五～六四歳）当たりのＧＤＰを計算してみると、今でも日本の伸び率が先進国最高だという。経済的な繁栄の絶対的な水準は、まったく下がっていないのである。

こう書くと「藻谷はゼロ成長を美化している」とか言われそうだが、そんなことは一言も言っていない。ゼロ成長よりは力強く成長した方がいいに決まっているが、経済衰退よりはゼロ成長の方がまだしもましでありましょうよ、ということを言っている。

経済は「ゼロサム」の世界だと思っていて、「他国が繁栄したということは、その分こっちが落ちたのだ」と何となく思い込んでしまう人がいるようだが、まったくの考え違いだ。

過去二〇年間に北京は、馬車や自転車が行き交う田舎町から高速道路と地下鉄が縦横に走る大都会に一気に変貌《へんぼう》したが、東京がその陰で、牛馬で物を運ぶ社会に転落したわけではない。欧州の多くの国の一人当たりGDPは二〇世紀の間にアメリカに抜かれ日本に抜かれたが（その後抜き返してきた国もあるが）、その間も多くの欧州住民が、住環境といい治安といい食生活といい装いといい、基本的なところで実に豊かな暮らしを享受している。これと同じことで、中国人が日本に来れば環境といい、清潔さといい地上の楽園だと思うし、日本より一人当たりGDPの大きいシンガポール人でも、日本をよく知っている層は、食べ物のおいしさやおもてなしの柔らかさなどいろいろな面に日本の懐の深い豊かさを感じている。

「そんなことを言っているけれども、仕事のない若者が増え、お金のないお年寄りが増え、地方都市は衰退を極め、日本人の生活はみじめになっている」とおっしゃる方も多いだろう。

だがその理由は日本経済全体の不調にあるのではなく、個々の問題ごとにそれぞれ根深い構造がある。実際には苦しんでいる人や地域がある分、うまくいっている人や地域もあるのであって、全体では差し引き微増となっているのだ。

もちろんそれで個々の問題がなくなったということはまったくないが、逆に言えば「日本全体が成長していれば個別の問題も自動的に解決に向かう」というようなこともありえない。個々の問題ごとにある根深い構造をそれぞれ解きほぐして、個別に解決を図るしかないのであり、手前味噌《みそ》だが筆者はそのお手伝いを生業としている。

ちなみにGDP以外の指標でみても、たとえば日本人の平均寿命は世界最高水準だし(敗戦時の日本や冷戦後のロシアのように、経済が破綻《はたん》した国では必ず平均寿命は落ちる)、凶悪犯罪も減っているし、困窮者が暴動を起こしているわけでもない。これは経済が衰退している国の姿とはいえないだろう。本当に日本経済が衰退に転じれば、「ああ、あの頃は文句ばかり言っていたが、まだたいしたことはなかった」と思い知ることになるのではないか。

絶対数を見ていない「国際競争力低下」論者——「日本経済ダメダメ論」の誤り②

「日本終末党」の論拠の二番目は、「日本の国際競争力は失われている」という話だ。スイスのビジネススクールＩＭＤが発表する国際競争力ランキングで、バブルの頃に一位だった日本は今や二七位だという。日本の輸出額は二〇〇七年から比べてもう四分の三に減ってしまった。震災・円高・ユーロショックの襲った二〇一一年には、とうとう貿易収支がマイナス二兆円と、三一年ぶりの赤字になってしまい、二〇一二年にはこの赤字がさらに六兆円に拡大した。長引く円高もあって、日本の産業はもはや瀕死《ひんし》である……ということなのだが、皆さんここに出ていない数字もきちんと確認したうえで、事柄の全体像を理解してお話しされているのだろうか？

まず「ヘンだぞ」と気付いて欲しいのが、「日本が失われたバブル以降の二〇年の間に本当に国際競争力を失っているのであれば、なぜ二〇年前よりも今のほうが円高なのか」ということだ。米国経済が相対的に凋落したからこそドル安が続いているのであり、リーマンショックにユーロショックでユーロも下がった。中国は成長しているのに人民元を安く抑えていると批判されている。日々の変動はともかく年単位のような大きな流れで見れば、経済的繁栄→自国通貨高というのは世界の常識だ。円高なのは、輸出が増えたからである。

テレビ文化人には、日本の輸出の絶対額の推移を見てからしゃべって欲しい。財務省の国際収支統計（これとは別に貿易統計もあり、数字はやや異なるが傾向に違いはない）によれば、プラザ合意で円高が始まる前の一九八五年の輸出額が四二兆円。バブル最盛期・日本の国際競争力世界一の一九九〇年が四一兆円。それに対して二〇一二年は六一兆円と、約二〇年間

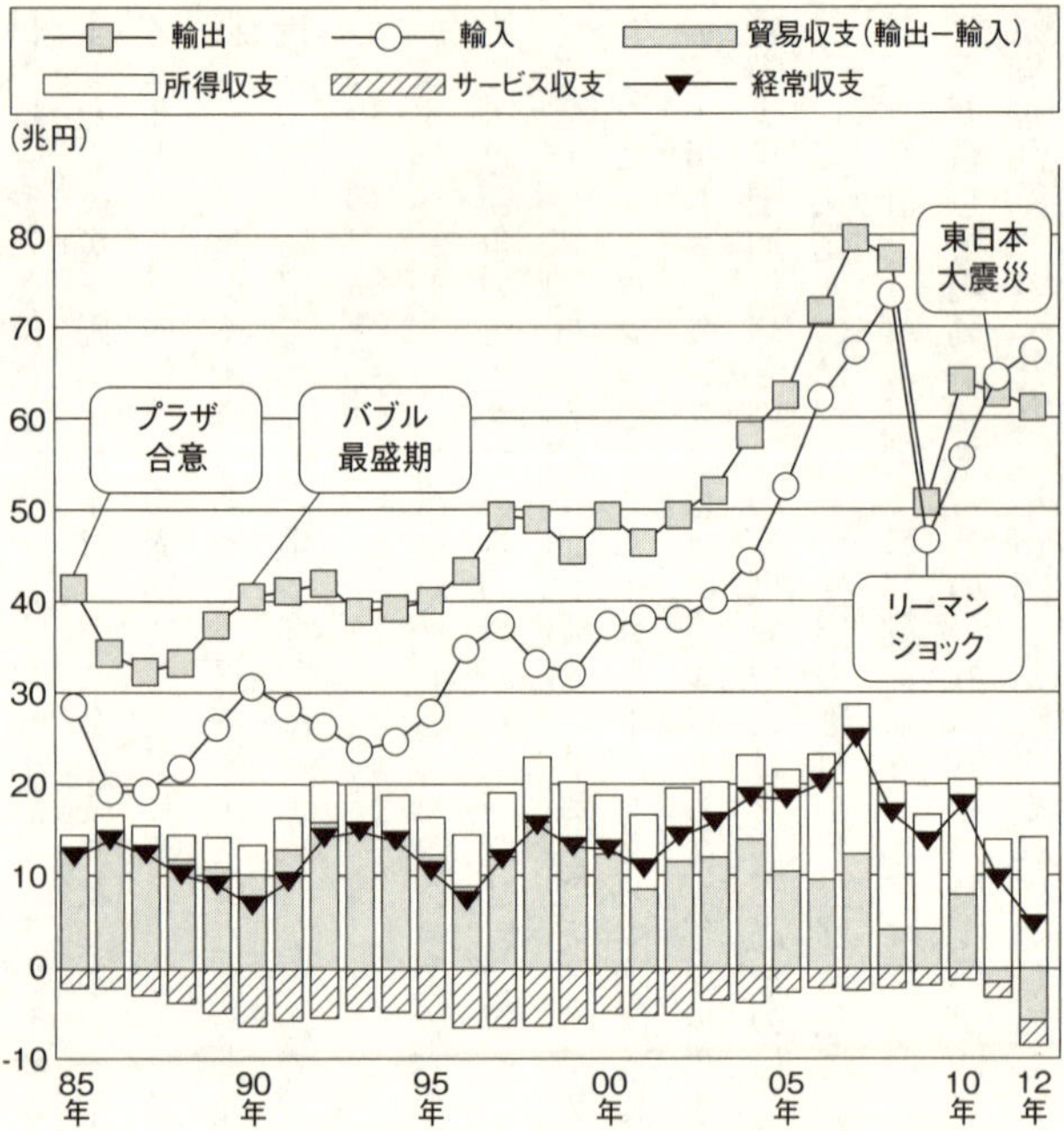

［資料］財務省 国際収支統計

日本の国際収支の長期推移

で一・五倍に増えているのだ。確かに輸出額は二〇〇七年には八〇兆円と、もっと多かったが、これは一九九〇年の二倍という異常な高水準であり、世界がリーマンショック前のバブルに沸いていた頃の一時的な数字である。月別の季節調整済み値を確認しても、震災直前の二〇一一年二月の輸出が五・五兆円だったのに対

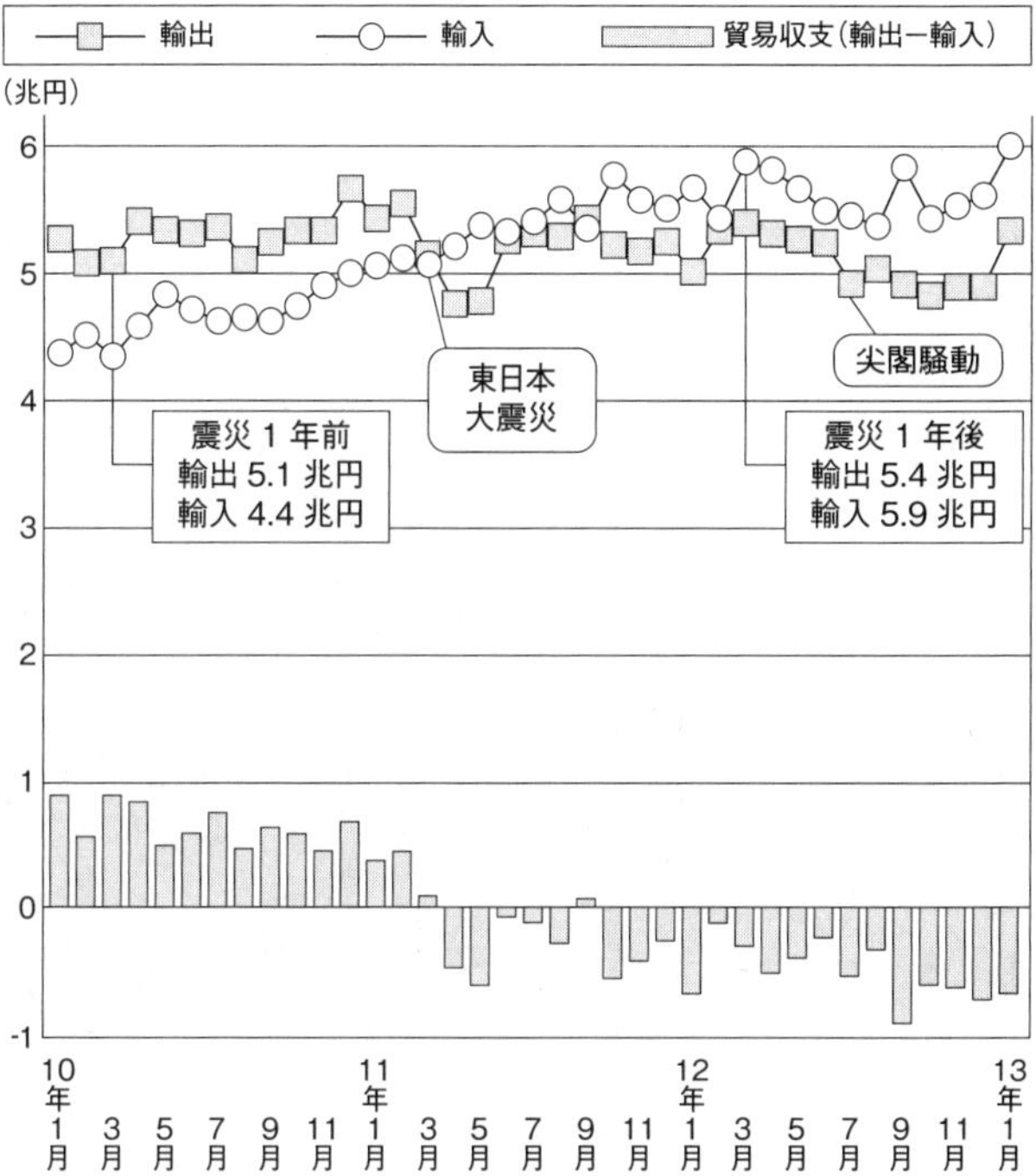

［資料］財務省 国際収支統計 季節調整済値

日本の最新の貿易収支

して、震災一年後の二〇一二年三月の輸出も五・四兆円と同水準だ。他の月を比べてもわかるが、震災後の超円高の下でも輸出は減らなかったのである。

　これは、円高が原因で値上がりしても買わざるを得ないほど非価格競争力のあるモノを日本が輸出してきたからでもあるが、もともと日本円が高くなっている相手の国内はインフレなので、相手国内物価と同程度の日本製品の値上がりは当然ということもある。だから、直近の円安誘導に対して諸外国から「ダンピング」という批判が出るわけだ。「高かった日本製品の値段が元に戻る」という印象なのではなく「他に比べて日本製品だけが急に安くなる」という印象なのである。

ところで震災後も五兆円台をキープしていた輸出は、二〇一二年七月から四兆円台に転落したが、これは円高のせいではなく、尖閣問題を契機にした対中国の輸出の減少によるものだ。実際にも輸出が弱まってきたこのあたりから、一ドル九〇円まで円安方向に戻る傾向が出てきている。しかし円安になっても輸出は増加に転じてはいない。円安だから輸出が増えるのではなく、政治的な理由で輸出が減ってきたから円安になったのだ。

「しかし現に日本は震災を契機に三一年ぶりの貿易赤字になり、さらに赤字が拡大しているではないか」と反論される方もあろう。赤字になったのはその通りだが、原因は原発事故を契機に化石燃料の価格が高騰し輸入が増えたからであって、輸出＝日本製品の海外での売上げが落ちたからではない。そのため、日本が赤字を貢いでいる相手は資源国ばかりであり、中国（＋香港）、韓国、台湾、シンガポール、タイ、インド、米国、英国、ドイツなどに対しては、引き続き日本の方が貿易黒字である。つまり幾ら欧米や東アジアから稼いでも、丸ごとアラブなどの産油国に持っていかれてしまう状態だということだが、このあたりの数字を確認せずに、日本が新興工業国との経済競争に敗れた、中国（＋香港）や韓国に対して赤字になったと早とちりしている人が学者、政治家、マスコミ関係者の中にもたいへん多いのには、筆者は本当に辟易《へきえき》している。

しかも国際収支は貿易収支だけで決まるのではない。日本政府は世界最大の借金王と言われるが、企業や個人は世界に余剰資金を投資している。その結果日本が海外から受け取る金利配当（所得黒字）は二〇一二年には一四兆円と史上三位の水準で、貿易赤字六兆円をカバーしてしまった。しかも所得黒字は円安だと増える傾向があるので、同じく円安だと増える化石燃料代をある程度はカバーしてくれる。

事実としては、日本は未《いま》だに外貨を稼いでいる経常収支黒字国であり続けており、ずっと赤字の米国や、赤字と黒字の間を行き来しているユーロ圏など多くの国に比べて国際競争力が劣っているとは言い難い。とはいえこのまま一ドル＝一〇〇円を超えて円安に戻ってしまうと、今年（二〇一三年）はさらに化石燃料輸入額が増え、他方でもともと減っていなかった輸出は別段増えることがなく、経常収支赤字に転落する可能性もある。円安を歓迎して株価を上げている向きには真剣に現実を学んでいただきたいし、円安誘導で日本経済再生と唱えるような「識者」には、数字を確認してから話をする習慣をつけていただきたい。

「近経のマル経化」を象徴する「デフレ脱却」論――「日本経済ダメダメ論」の誤り③

こういう話をしてくると、「長引くデフレでどれだけ国民が苦しんでいるのかわからないのか」という怒りの声が飛んできそうだ。確かに消費税収の推移を見ても、国内の消費は過去一五年以上ほとんど増えていない。同じ期間に輸出が一・五倍に増えたのとは対照的だ。国際競争力は落ちていないが、国内市場がガタガタ、というのが日本経済の実態なのである。これを「日本終末党」の論拠の三番目としよう。

物価が下がり続けるということは、金銭を稼いでいない、貯蓄に頼って生活している層にとっては、貯蓄の価値が目減りするどころか増えていくことになり、実は都合のいい話なのかもしれない。しかし働いている人や、内需対応型の企業にとっては、自分の経済活動の金銭的な価値がどんどん下がっていくという厳しい状態だ。勤労意欲・営業意欲が削《そ》がれ、市場の成長が見込めないので設備投資や人材への投資も減り、これがさらに経済を冷やしていくという悪循環が生まれる。国外市場の開拓に成功している輸出企業の間では、海外に生産を移していく流れが強まらざるをえない。若い人もフリーター暮らしばかりでは希望を持てず、子どもを産むどころか結婚もできない。結局税収や年金の払い込みも減り、高齢退職者の生活も脅かされることになる。くどいのだが、筆者は決してデフレを美化はしない。

ただ気をつけなくてはならないのは、世界の通常の国はデフレではなくインフレなので、日本だけがデフレを続けると国際金融市場では円高がどんどん進行し、結果として国外から見た日本の経済価値は減らないことだ。

仮に一米ドル＝一一〇円から八〇円まで円高が進行したとすると、国内で物価や人件費が五％下がったとしても、米ドルで生活している人から見れば日本国内の物価や人件費は三一％も上がったことになる。詳しく見てみよう。一米ドル＝一一〇円から一米ドル＝八〇円となると、日本国内で一一〇円だったものは、米国人から見れば一米ドルだったものが一・三八米ドルとなる（一一〇÷八〇＝一・三八）。これがデフレで五％下がれば一一〇円のものは一〇四・五円となり、一米ドル＝八〇円で換算すると一・三一米ドル（一〇四・五÷八〇＝一・三一）。三一％アップだ。国内の米軍基地にいる米国人などは正にそう実感してきた。

つまり国内のデフレは、国内の経済活動の、国内での価値の低下だが、海外から見た日本の価値が下がっているわけではない。だから、いったん日本円をもって海外に出ればお大尽生活が味わえたりするわけである。多くの人には関係ないことなのだろうが。

そんな中、執筆している時点で国論を覆っているのが「デフレ脱却」という掛け声である。では何をすれば脱却できるのかだが、いわゆる「リフレ論者」と呼ばれる方々の主張では、デフレは日銀が金融緩和を怠っているのが原因だ。とにかく世の中に流れるお金の量を増やし続ければ、いつかは「これからはインフレになるだろう」と皆が思い始めて、貯金が目減りする前に消費を増やすようになり、内需対応型企業の売り上げが上がって給与も増え、設備投資も増え、必ず緩やかなインフレが起きる（＝デフレを脱却できる）という。

確かに、際限なくお札を刷ればいつかは必ずインフレになる。実際問題、過去十数年間続いた金融緩和によって既に世の中に出回った貨幣供給量を考えれば、とっくにインフレになっていてもおかしくないというのが、多くの金融機関の実感だろう。「回るはずのツマミが回らないので、ついにはヤットコを持ち出してえいとばかりにひねっていたら、土台ごとバキッとねじ切れてしまった……」というような感じで、さらなる金融緩和の末に突然に極端なインフレが起きるという可能性もある。

そうなれば円安となって輸入品の価格が高騰し、輸入原材料・燃料を使う多くの商品の価格が上がってめでたく「デフレ脱却」だが、その場合お金は消費ではなく外貨投資に流れ（ギリシャが正にそうなった）、日本経済は今度こそ本当に衰退してしまう。

インフレがそのように急激にではなく、緩やかに始まるという根拠はあるのかといわれれば、「リフレ論」にはそれを保証するほどの理論的成熟も実証データの蓄積もない。間違ってインフレが加熱したときにそれを制御できる方策があるのかと問うと、「現に日銀がこれだけ長期のデフレをもたらしているのだから、今度は日銀が金融引き締めをすれば簡単にインフレは収まる」という答えが返ってくるのだが、そもそも「今のデフレは日銀のせいである」という説が正しくない限りは、彼らの言う対策も効きそうにもない。これは結局、信じる人は信じるという話で、賛否の議論が「神学論争」と呼ばれるゆえんである。

ただリフレ論の信者に、ある共通の属性があることは間違いない。「市場経済は政府当局が自在にコントロールできる」という一種の確信を持っていることであり、これを筆者は「近代経済学のマルクス経済学化」と呼んでいる。昔ならマルクス経済学に流れたような思考回路の人間（少数の変数で複雑な現実を説明でき、コントロールできると信じる世間知らずのタイプ）が、旧ソ連の凋落以降、近代経済学に流れているということかもしれない。

実際には日銀は、別段日本経済を滅ぼそうとしている悪の組織ではなく、これまで十数年続けた金融緩和が実際に物価上昇につながらなかったという経験をもとに行動している。特に小泉改革の時期、二〇〇二年から二〇〇七年まで続いた「戦後最長の景気拡大」局面では、当時史上最大の金融緩和にリーマンショック前の輸出急増があいまって、マネーゲームをする余裕がある層の金融所得が大きく増えたが、個人消費は増えなかった。

金持ち側から言えば「買いたいものがなかったので、あるいは使うことではなく貯めることと自体が自己目的化しているので、儲《もう》かった分もそのまま金融投資に回してしまった」ということであり、多くの企業側から言えば「富裕層のニーズに合っていない商品を作りすぎては買い叩かれるという行動を繰り返し、せっかくの個人所得の増加を売り上げ増加に結び付けられなかった」ということである。金融機関側から言えば、「借りに来るのは返してくれないリスクの大きい相手ばかりで、融資がきちんと返ってきそうな事業が見当たらない。仕方ないので国債を買う」ということになっている。

真の構造改革は「賃上げできるビジネスモデルを確立する」こと

なぜこのような困った状況が固定されているのか、二〇一〇年に『デフレの正体』（角川oneテーマ21）を書いた筆者には、同書に寄せられた「批判」への回答を含め一家言も二家言もあるのだが、この本は里山資本主義についてのものなので、詳細な議論は『続・デフレの正体』を書く機会に譲ることとする。

結論だけを申せば、日本で「デフレ」といわれているものの正体は、不動産、車、家電、安価な食品など、主たる顧客層が減り行く現役世代であるような商品の供給過剰を、機械化され自動化されたシステムによる低価格大量生産に慣れきった企業が止められないことによって生じた、「ミクロ経済学上の値崩れ」である。従ってこれは、日本経済そのものの衰退ではなく、過剰供給をやめない一部企業（多数企業？）と、不幸にもそこに依存する下請企業群や勤労者の苦境にすぎない。そしてその解決は、それら企業が合理的に採算を追求し、需給バランスがまだ崩れていない、コストを価格転嫁できる分野を開拓してシフトして行くことでしか図れない。同じく人口の成熟した先進工業国である北欧やドイツの大企業、イタリアの中小企業群などは、まさにそのような道を進んでいる。

これを経済学者の言い回しでは「イノベーション」だとか、「構造改革」だとか呼んでおり、そうした企業行動を促進する政府の政策を「成長戦略」とか言っているが、難しく言うからわからなくなるので、要するに「企業による飽和市場からの撤退と、新市場の開拓」がデフレ脱却をもたらす唯一の道である。

ちなみに「構造改革」というと雇用切り捨てのようなイメージを持つ人もいると思うが、生産年齢人口（一五～六四歳人口）が今後五〇年で半減というペースで減少している今の日本では、放っておいても働く人の数は減っていくのであり、勤労者あたりの所得を今後五〇年で二倍に引き上げることができない限り、内需は歯止めなく縮小していく。従って今世紀日本の構造改革とは「賃上げできるビジネスモデルを確立する」ということであり、「賃下げにより足元の利益を確保することで自分の国内市場を年々自己破壊していく」ということではない。

賃金二倍などとても無理と思うかもしれないが、現実の世界では、フランスやイタリアのように時給水準が日本より高い国が、日本から貿易黒字を稼いでいる。彼らの主要輸出品であるワイン、チーズ、パスタ、ハム、オリーブオイル、服飾工芸品などがいずれも、コストを価格転嫁できるだけのブランド力を持つ商品であり、現に日本でも高く売れているからだ。

内需型産業各社も、同じようにコストを価格転嫁できるだけのブランド力を持つことに注力し（できない分野からは撤退してその市場は輸入品に任せ）、年平均一％でいいので人件費水準を上げて行ければ（別の言い方をするなら、平均年一％勤労者が減っていく中で給与総額を横ばいに維持できれば）、日本経済は衰退しないのだ。

実際問題、日本の一四〇〇兆円とも一五〇〇兆円とも言われる個人金融資産の多くを有する高齢者の懐に、お金（＝潜在的市場）は存在する。大前研一氏のブログによれば、彼らは死亡時に一人平均三五〇〇万円を残すというのだが、これが正しければ年間一〇〇万人が死亡する日本では、年間三五兆円が使われないまま次世代に引き継がれているという計算になる。日本の小売販売額（＝モノの販売額。飲食や宿泊などのサービス業の売り上げは含まない）が年間一三〇兆円程度だから、その三五兆円のうち三分の一でも死ぬ前に何かを買うのに回していただければ、この数字は一割増となってバブル時も大きく上回り、たいへんな経済成長が実現することになってしまう。

今世紀日本の現実は、個人に貯金がまったくなかった終戦直後の日本や、今の多くの外国とは訳が違うのである。さらにいえば、高齢者自身が何を買う気がなくても、お金さえあれば消費に回したい女性や若者は無数にいる。『デフレの正体』で論じたように、あらゆる手段を使って高齢富裕層から女性や若者にお金を回すこと（正道は女性や若者の就労を促進し、給与水準を上げてお金を稼いでもらうこと）こそが、現実的に考えた「デフレ脱却」の手段なのである。ＯＥＣＤ（経済協力開発機構）の日本経済活性化に向けた提言や、ＩＭＦ（国際通貨基金）の提言もまったく同じことを言っている。

別にデフレを悲観して「日本終末党」に入る必要はない。生産年齢人口が減少に転じてから二〇年近く経ち、さすがに時代の変化に対応し、新たな市場を獲得し始めている企業も増え始めているからだ。だからこそ不景気だ不景気だといいながらも史上最高益の企業が続出しているのであり、日本全体の名目ＧＤＰも総じて横ばい（円ベースでは微減、ドルベースでは微増）を続けている。

ちなみに、中国、韓国、台湾、シンガポールなどの東アジア新興国・地域でも、日本以上の少子化が進んでおり、生産年齢人口は数年以内に減少に転じていくと言われている。日本だけが「デフレ」に沈むのではなく、日本で見られる「ミクロ経済学上の値崩れ」が日本の「ライバル」の間でも深刻化していくことになろう。

残念なことに、さらなる金融緩和で事態は解決すると主張するリフレ論が横行すればするほど、旧態依然の低価格大量生産依存の企業に限って政府の助けを期待し、自らの「イノベーション」「構造改革」を怠ってしまう。彼らは企業でありながらまるで社会的弱者のようだが、これが九五年までの一方的な現役世代の増加に甘えてきた戦後日本の資本主義の現実でもある。人口増加の上げ底経済の中でだけ存続できた、本来持っているべき経営戦略の欠如した企業が滅んでいく過程。その前向きな産みの苦しみが、今の「デフレ」なのだとも言えよう。

以上代表的な「日本ダメダメ論」を取り上げて、その根拠の怪しさを指摘してきた。「日本終末党」の数多くの主張というものは軒並み、世の「なんとなく終末気分」という空気に流され、数字の裏打ちや論理的な分析を欠いたまま出てきているものであるということは、それなりにご納得いただけたとしよう。しかしこの話はそろそろ切り上げて、さらなるそもそも論を提示したい。

以上の話で日本はダメになりつつあるという不安・不満・不信は、払拭《ふっしょく》されるだろうか。困ったことにそんなことでは不安は消えないのではないか。だとすれば、それはいったいなぜなのか。

不安・不満・不信を乗り越え未来を生む「里山資本主義」

「日本経済は衰退に向かっているのではないか」という人びとの不安。それは以上述べてきた事実の提示程度では、残念ながら消えない。

不安が消えないのは、筆者の論点自体が「そうはいってもマネー資本主義の枠内の話」であるからだ。筆者は平均値による即断を否定して、個別の事実をきちんと踏まえてから判断しようと語ってきたわけであるが、そこで示した「実は日本はダメダメではない論」は、いずれも「マネー資本主義全体が行き詰まらずにお金が回り続けるのであれば、日本もその中で何とか稼いでいけますよ」という域を出ていない。

「地に足が着いていない」という語があるが、マネー資本主義は、しょせん地に足着かぬ空中戦の話だ。宙に浮かんだお金の循環自体が根底から崩壊してしまうようなリスクが常にあることを、東日本大震災を経験した以降の日本人は、本能的に気付いているのではないか。

天災は「マネー資本主義」を機能停止させる

今回の震災では、東北から北関東の太平洋沿岸を平安時代前期以来の規模の大津波が襲い、遠い過去をすっかり忘れていた多くの日本人を打ちのめした。しかし常軌を逸した大災害は文献に残るものだけでもまだいくらでもある。

平安時代前期に秋田県北部の米代《よねしろ》川流域を埋め尽くした十和田《とわだ》湖大噴火の泥流。室町時代中期に東海道沿岸を襲い、淡水湖だった浜名湖を海とつなげてしまった明応《めいおう》の大地震と大津波。江戸時代中期に有明《ありあけ》海沿岸に甚大な津波の被害をもたらした、雲仙《うんぜん》噴火に伴う眉山《まゆやま》の崩落。同じく江戸時代中期に沖縄県の八重山《やえやま》諸島などで一万数千人の死者を出した、波高四〇メートルの国内文献記録上最大の大津波。その前後には、有名な鬼押し出しを形成した浅間山の噴火や、富士山の宝永《ほうえい》噴火などもあり、大量の火山灰噴出が気温の低下をもたらして、天明《てんめい》の大飢饉《ききん》を深刻化させた。いずれも、今の世で同規模のことが起きれば世界が震撼《しんかん》するものばかりだ。

それでも自分の家の横に水や田畑や里山のある地方はまだましだ。世界最大の大都市圏である首都圏や、先進国ベスト五に入る同じく巨大都市圏である京阪神圏には日本人の半分近くが暮らしているが、そこでは燃料、食料はもちろん飲料水すらまったく自給できていない。仮に南海トラフ地震の最大級のものが起きてしまって、東京—大阪間の中枢的な産業機能・物流機能が停止したら？　致死性の高い新型インフルエンザが突如大流行したら？　まったく想定外の勢力によるテロが東京ほか先進諸国の中枢都市を同時に襲ったら？　ハリウッド映画のネタではあるまいし、そんなことを心配しても仕方ないという話かもしれないが、起きる可能性はまったくのゼロではない。同じことが地方で起きたときとは比較にならないほど、大都市圏住民の困窮や混乱のリスクは高まるだろう。

もとより、可能性でいえば低い話に過ぎない。だが低い可能性でも心配してしまえるほど脳が発達した動物である人間の業というものが、いや言葉にして考えていなくても生き物としての本能で感じ取ってしまっているという現実が、不安・不満・不信の根源にある。日本経済を動かしている大都市圏の住民になるほど、実は先行きに対して大きな不安を抱き、心の奥底で自暴自棄になってしまっている。最近の日本人が、取り敢《あ》えずの国債乱発や取り敢えずの原発再稼動など、刹那《せつな》的な行動に出てしまうのも、その裏返しなのではないだろうか。

インフレになれば政府はさらなる借金の雪だるま状態となる

取り敢えずの国債乱発という刹那的な行動、と書いたばかりだが、マネー資本主義の行き詰まりは、毎年の国債増発の結果、ついに世界一の借金王になってしまった日本政府の財政を見ても実感される。

多年の自民党政権も、三年間の民主党政権も、国民の生活のため、震災復興のため、大型経済対策のためと称して赤字国債の発行を続けてきた。あまり投票に行かない若い世代や、投票権のない子ども、まだ生まれていない子どもにツケを回し、今年さえよければ、足元さえなんとかなればと、対GDP比率で二倍以上と世界一の水準の借金を積み上げてきた。

もはやそのツケは子孫に回るだけではない。投票ないし無投票という行動で借金積み増しを是認ないし黙認してきた当の世代自身にも、年金支給開始年齢の後送りや医療福祉サービスの切り下げという形で回り始めている。それだけではない、極度のインフレという、高齢者や中高年のこれまでの金銭的蓄積を、元も子もなくすような事態が起きる危険性も少しずつ高まりつつある。これまでは幸いそうなっていなかったが、日本人の人生は世界有数に長いので、誰もが、逃げ切れる保証はどこにもない。

これまで際限なく国債残高を増やし続けて来られたのは、幾ら出しても何とか売れ続けたからである。国債の九割以上は日本の企業や個人が保有しているのだが、それは日本の企業や個人に現金があったからだ。だが先に述べたとおり、化石燃料高の今世紀、さらに円安が進めば貿易赤字が拡大し、金利配当収入も食い潰《つぶ》して日本全体が経常収支赤字になりかねない。プラザ合意で円高が始まって以降も、毎年五～二〇兆円以上あった経常収支黒字がマイナスになるということは、定義上はその分自動的に現金が国内になくなるということではないのだが、国内での国債消化能力が大なり小なり下がっていくことは避けられない。

それでも米国のように国外から借金をし続けられる国であればまだ良いのだが、円安に向かう見通しが高い中、日本国債を海外に売りたいのであれば、現状の平均一・四%というような低金利では難しい。そうでなくともインフレ誘導をするというのであるから、国内で国債を消化するためにも金利をもっと上げねばならないだろう。しかし国債の発行金利を上げると、既に発行されている国債が市場で売買される際の流通利回りも上がる。実際には発行済み国債の金利は発行時に決まっているので、金利が上がった場合には国債そのものの売買価格が下がることで金利水準が上がるという調整が金融市場で自動的に行われる。つまり発行済み国債を持っている企業や個人の財産が目減りするということだ。

少々の金利上昇ならともかく、市場はそのときの世の気分次第で極端な動きをすることも多い。世界のどこかで起きる何かがきっかけで金利上昇が過度に進めば、国債を多く保有する年金基金や生命保険会社、地方の金融機関などが打撃を受ける。国債保有高の目減りが進んで彼らの財務内容が悪化すると、年金システムや金融システム全体が機能不全に陥っていく危険もある。

金利が上がれば国の資金繰りも無事では済まない。現状の低金利下でも、年間の国債金利支払額は一〇兆円に達しており、政府の年間税収の四分の一以上がそこに消えていることになるが、仮に国債金利が一時のイタリアのように六％になれば、政府の税収は全額国債利払いに回ることになり、日本の公共部門は実質的に機能停止に陥る。

「インフレになれば借金が目減りするので、政府にとっては都合がいい」という俗説があるが、これは大間違いだ。前記の通り、インフレになるときは国債金利も上昇している。発行済みの国債の価値はどんどん減るが（つまり損は持っている人に回るが）、他方で政府の税収は多くが利払いに消えることになり、通常の政府機能を果たそうと思えば、インフレ率を上回る高利で国債を新規発行するしかない。

錬金術はないのであって、インフレになれば政府はさらなる借金の雪だるま状態となる。実際問題、世界のマネーゲーマーの中には、日本国債が暴落に向かうことを期待して、そうなれば儲かる方向に相場を張っている（日本国債が暴落すれば値上がりするようなデリバティブ商品を買っている）向きも多い。彼らは、国債増発と円安誘導を同時に行うアベノミクスの登場に、さぞや期待を高めていることだろう。とはいってもこれまでのところ、日本暴落側に張ってきた連中は延々と期待外れの結果を突きつけられてきた歴史があるので、今度もそのように行くことを願うものではあるが。

「マネー資本主義」が生んだ「刹那的行動」蔓延の病理

このようにどこかの国の凋落で儲けようとする連中がいるのもマネー資本主義の醜い部分だが、問題をここまで至らせてしまったその大元には先ほども触れたように、瞬間的な利益を確保するためだけの刹那的な行動に走ってしまって重要な問題は先送りしてしまうという、マネー資本主義に染まった人間共通の病理がある。目先の「景気回復」という旗印の下で、いずれ誰か払わねばならない国債の残高を延々積み上げてしまうというような、極めて短期的な利害だけで条件反射のように動く社会を、マネー資本主義は作ってしまった。国債増発やむなしと叫ぶ一部政治家の言を聞いてみれば良い。皆「自分たちの今が何よりも大事」

「後のことは後の世代が何とかするので私は知らない」としか言っていない。困ったことにそのような社会では、日本人自身が、内心で自分たちの明るい未来を信じなくなる。日々が目の前で起きたことへの条件反射のような対応で埋め尽くされ、先を見た行動は行われなくなる。

この病理は他のところにも露呈している。たとえば十数年前から国土交通省自身が白書などでも警告してきた土木構造物の老朽化も、実際に中央道笹子《ささご》トンネルの天井板が崩落して九名もの犠牲が出るまで、まったく一般に認知されないままだった。

福島の原発事故も、老朽化した旧式原発を、「いずれ止めます、いずれ止めます」といいながら動かし続けてきたのが大きな原因だ。使用済み核燃料の最終処分の見通しがまったく立たないままに原発を再稼働しようとするのも、とにかく今を乗り切るために数年先（既存原発内の保管場が満杯になるのはそう遠い先のことではない）を見ないようにしているという話にほかならない。何とか暫定的な保管場所を見つけたとしても、今後一〇万年にわたり安定的に冷やし続けねばならない高レベル廃棄物にどこで誰がどう責任を持つのか、これまたまったく目途《めど》が立っていないし、その目途が立つ目途もない。これはとにかく赤字国債を発行してつないでいくという発想と同じで、刹那の繁栄のための問題先送りにほかならない。

里山資本主義は保険。安心を買う別原理である

猛々《たけだけ》しくマネー資本主義の限界を説いてきた。このトーンから言えば、問題の打開策も猛々しく唱えなければならないところかもしれない。だが筆者はここからは猛々しくは語らない。限界を柔らかく突き破り、いや正確には限界の壁の横をするっと回りこんでかわし、人びとの不安を和らげる役を果たす、里山資本主義について静かに語りたい。

繰り返すが、刹那的な行動は、われわれ日本人がマネー資本主義の先行きに対して根源的な不安を抱き、心の奥底で自暴自棄になってしまっているところから来ている。そしてその不安は、マネー資本主義自壊のリスクに対処できるバックアップシステムが存在しないところから来る。複雑化しきったマネー資本主義のシステムが機能停止した時に、どうしていいかわからないというところから不安は来ているのだ。

そのような不安とは、そろそろサヨナラしてはどうだろうか。中間総括に書いた通り、里山資本主義こそ、お金が機能しなくなっても水と食料と燃料を手にし続けるための、究極のバックアップシステムである。いや木質バイオマスエネルギーのように、分野によってはメインシステムと役割を交代することも可能かもしれない。なににせよ、複雑で巨大な一つの体系に依存すればするほど内心高まっていくシステム崩壊への不安を、癒すことができるのは、別体系として存在する保険だけであり、そして里山資本主義はマネー資本主義の世界に

おける究極の保険なのだ。

大都市圏民であっても、ほんの数代前までは、四季折々の風に吹かれながら、土に触れ、流れに手を浸し、木を切り、火をおこして暮らしていたのだ。

実際問題、里山で暮らす高齢者の日々は、穏やかな充足に満ちている。遠い都会で生まれているあれこれの策動や対立や空騒ぎには嫌なものを感じつつも、毎日上り来る陽の光の恵みと、四季折々に訪れる花鳥風月の美しさと、ゆっくり土から育つ実りに支えられて、地味だが不安の少ない日々を送っている。

なぜそういうことになるのか。それは、身近にあるものから水と食料と燃料の相当部分をまかなえているという安心感があるからだ。お金を持って自然と対峙する自分ではなく、自然の循環の中で生かされている自分であることを、肌で知っている充足感があるからだ。

この里山資本主義という保険の掛け金は、お金ではなく、自分自身が動いて準備することそのものである。保険なので、せっかく準備していても何かきっかけがないと稼働しないかもしれないが、しかし準備があるとないとでは、いざというときに天と地ほどの差が出る。日常の安心にも見えない差が生まれる。正に保険とは安心を買う商品であり、里山資本主義とは己の行動によって安心を作り出す実践なのである。

刹那的な繁栄の希求と心の奥底の不安が生んだ著しい少子化

日本人の行動が刹那的になっていることに対して、里山資本主義がささやかながら対抗原理として働くとするならば、もしかすると、もっと大きな規模でその効果が出てくることが期待できるかもしれない。里山資本主義こそ、日本を一〇〇％確実に襲う、いや既に何十年もかけて進行している問題、場合によってはほとんど日本社会の息の根を止めかねない本当の危機に対する、最大で最後の対抗手段かもしれないのである。

お気づきの方もいらっしゃろうが、そのことを放置してきたツケが、今世紀半ばまでにはとんでもない大きさの副作用として立ち現れてくる。それが、ここ三〇年以上も進行している著しい少子化だ。

日本全体の合計特殊出生率（女性一人が生涯に産む子どもの数）は、ここ数年少し回復してきたがそれでも一・四を割り込んでおり、日本最低の東京都では一・一という水準だ。この結果足元では、年間一・六％減少のペースで一四歳以下人口が減っている。このまま行けば、今後六〇年程度で日本から子どもがいなくなってしまう状態だ。

これを冗談と笑うことはできない。現に過去三五年の間に日本で毎年生まれる子供は四割も減ってしまったという事実がある。何かの抜本的な変化が起きて、これまで何十年も進行してきた少子化の流れが変わらない限り、子どもの消滅？　とまではいかなくとも、さらなる激減は確実に起きる。子どもだけではなく生産年齢人口（一五〜六四歳人口）も、一九九五年から二〇一〇年の一五年間にもう七％も減っている。これがさらに今後五〇年間でほぼ半減となることも、もう誰にも止められない状況だ。

移民の本格導入は、この問題を全く解決しない。移民も、移住先の国民と同化すればするほど出生率も移住先の国民と同レベルにまで、急速に低下するからである。日本より出生率の低いシンガポールでは、居住者の三割が外国人という状況だが、日本同様の子どもの減少が続いている。

そうなれば、国土防衛だの何だの叫んでも絵空事で、そもそも日本社会が存立できなくなってしまう可能性もある。会社の収益確保と言っても、その前に労働者も顧客も確保できなくなってしまうのではないか。とはいえ現役世代が半減しないようにその前で止めることはもうどう計算しても無理だ。でも半減したあたりまでで済ませてその先の現象を食い止めることはできるかもしれない。これが今やらねばならぬ勝負の中身である。

この少子化の原因は複雑にからみあっていて、これだ、と定量的に検証できた研究はない。だが都道府県別に大きな差があることに着目すれば、ある程度の推測はできる。まず首都圏と京阪神圏の出生率が低く、北海道も低い。だが沖縄県や福岡以外の九州各県、島根県・鳥取県・福井県・山形県など日本海側の県は概して高い。

よく誤解されているのだが、若い女性が働くと子どもが減るのではなく、むしろ若い女性が働いていない地域（首都圏、京阪神圏、北海道の人口の半分が集まる札幌圏など）ほど出生率が低く、夫婦とも正社員が当たり前の地方の県の方が子どもが生まれていることは、統計上も明らかである。もう少し定性的に言えば、通勤時間と労働時間が長く、保育所は足りず、病気のときなどのバックアップもなく、子どもを産むと仕事を続けにくくなる地域ほど、少子化が進んでいる。保育所が完備し、子育てに親世代や社会の支援が厚く、子育て中の収入も確保しやすい地域ほど、子どもが生まれているのだ。

それら子育てに向いた地域は、日本海側や南九州・沖縄など、マネー資本主義の中では相対的に取り残されてきた場所であり、そこにはまだ緑と食料と水と土地と人の絆《きずな》が、相対的に多く残っている。同じ県の中でも、山間地や離島になるほど出生率は高い。そういう地域の住民は、足元では富を生まない簿外資産（金銭換算不可能な財産）、たとえば子宝を得ること、井戸や田畑や里山を残すことなどに、大都市圏よりも多くの力を割いてきた。刹那的な経済的繁栄だけでなく、その先にある本当に大事なものにも目を向けてきたのである。

ただ如何《いかん》せん、そのような地域に住んでいるのは日本人の中の少数派でしかない。若い女性の圧倒的多数は、孫の世代の数が自分たちの世代の半分以下になってしまう流れにある大都市部に集まっている。

そう、若者は未だに大都市の魅力に惹《ひ》かれ、あるいは就職チャンスに惹かれ、いやもしかすると「そうしないといけないものなのだ」と何となく周囲から意識付けをされてしまったゆえに、食料はもちろん水すら自給できない大都市圏に集まってきている。ところがその大都市圏の住民や、大都市圏中心に発展してきた日本企業の関係者は、意識の奥底に「自分たちの今のマネー資本主義的な繁栄は続かないのではないか」という不安を、地方の住民や企業以上に強く隠し持っているように思える。であるがゆえに彼らは、積極的に子どもを持つことをしない。あるいは子育てと労働を両立させたい社員を積極的に支援しようとしない（むしろ辞めさせていく）。

本当の意味での余裕がないとも言えるし、不安に駆られて己の未来に進んでダメを出してしまっているともいえる。そのような大都市圏に若者を集中させ、そのような大都市圏の企業に就職させ続けている結果、日本の子どもはさらに急速なペースで減っていく。

里山資本主義こそ、少子化を食い止める解決策

少子化というのは結局、日本人と日本企業（特に大都市圏住民と大都市圏の企業）がマネー資本主義の未来に対して抱いている漠然とした不安・不信が、形として表に出てしまったものなのではないかと、筆者は考えている。未来を信じられないことが原因で子孫を残すこと

をためらうという、一種の「自傷行為」なのではないかと。そういうわけでこの現象は、幾ら「もっと子どもを産め」とマッチョな掛け声をかけようとも、そういう表の世界の建前によってはまったく解決されない。だからこそマッチョ志向の政権は、何党であってもどちらかというとこの問題を避けて通る。

少子化は日本だけで起きているのではない。マネー資本主義が貫徹されているという意味では日本以上である韓国も台湾もシンガポールも、前述の通り日本より出生率が低い。同じく凄《すさ》まじいマネーの暴風が吹き荒れている中国でも、沿海部の出生率はもう東京よりも低くなっている可能性がある。上海の出生率は〇・七という話を聞いたことがあるが、これは三世代で人口が八分の一に縮小してしまうという驚異的な水準だ。ロシアや東欧でも、突如マネー資本主義の暴風にさらされたソ連邦崩壊以降、著しい出生率の低下が報告されている。

であるとすればこそ解決は、マネー資本主義とは違う次元のところに存在する、里山資本主義の普及と活用にあるはずだ。里山資本主義は、大都市圏住民が水と食料と燃料の確保に関して抱かざるを得ない原初的な不安を和らげる。それだけでなく里山資本主義は、人間らしい暮らしを営める場を、子どもを持つ年代の夫婦に提供する。

少し前の日本であれば、都会に住まなければ味わえないマネー資本主義の恩恵というものが、物質的な充足というものがあった。その当時に田舎を出て大都市に移り住んだ今の中高年の方々には、田舎は未だにその当時のままだと思い込んでいる、ある意味幸せな人もいるのだろう。

だが実際には、周防大島《すおうおおしま》にも邑南町《おおなん》にも、スーパーだけでなく二四時間営業のコンビニもあれば、首都圏の都心部にこそむしろないホームセンターもある。発達した道路を使って手近の空港にも大きな町にも簡単に行けるし、都会にも海外にも昔とは比較にならないほど気軽に出かけられる。ネット通販で、珍しいものでも簡単に買える。昔なら全国民で巨人を応援していたのかもしれないが、Jリーグやbjリーグ、野球の独立リーグなどもどんどん増え、誰でも地元のプロチームを地元で応援できる時代になっている。そして逆に里山では、都会では今でも味わえない自然と水と空気と家庭菜園と、都会とは比較にならないほどおいしい食材とゆとりある住居を、格安で享受することができるのだ。

そんな日本の田舎の問題は、もはや職場の不足だけだと言ってもいいのだが、その職場も、「安定した企業で勤め上げる」という、実際には都会でももう普通は有り得なくなって来ているモデルにこだわらない限り、実はどんどん生まれつつある。この本で紹介したのは本当にほんの一端のそのまた切れ端で、書籍でも雑誌でもネットでも、田舎で新たな収入先を開拓している若者や退職者向けの情報は満ち溢《あふ》れている。収入は低くなっても、その対価として自分らしさを取り戻せる。流れは確実に変わっているのだ。

中間総括で、「マネー資本主義は、やりすぎると人の存在までをも金銭換算してしまう」と書いた。もちろん、人はお金では買えない。人の存在価値も、稼いだ金銭の額で決まるのではない。

人間の価値は、誰かに「あなたはかけがえのない人だ」と言ってもらえるかどうかで決まる。人との絆を回復することで、そして自分を生かしてくれる自然の恵みとのつながりを回復することで、ようやく「自分は自分でいいんだ、かけがえのない自分なんだ」ということを実感できる。そのとき初めて人は、心の底から子どもが欲しいと思うようになる。自分にも子どもがいていいのだと思えるようになる。なぜなら子どもは、自分と同様に、そこにいるだけでかけがえのない存在だからだ。この自分の幸せを、生きている幸せを、子どもにも味わって欲しいと心の底から思うとき、ようやく人は子どもを持つ一歩が踏み出せる。

「社会が高齢化するから日本は衰える」は誤っている

少子化に触れたので、高齢化と里山資本主義の関係にも触れておきたい。少子化と高齢化を混同して「少子高齢化」と一緒に呼ぶ人がいるが、高齢化は少子化とはまた別の問題として近未来にたちはだかる。

日本が今経験している高齢化とは、一言でいえば高齢者の絶対数の増加、より正確には七五歳以上（後期高齢者）、あるいは八五歳以上（超後期高齢者とでも呼ぶべきか）の人口の急増のことだ。これを「高齢化率」の上昇のことだと思っていると事態が見えなくなる。

これまで何度も使ってきた、国立社会保障・人口問題研究所の二〇一二年中位推計によれば、二〇四〇年の日本では、八五歳以上のお年寄りが一〇〇〇万人を超え、他のどの五歳刻みの年齢階層よりも多くなり（ちなみに二〇一〇年現在は四〇〇万人なので二・五倍以上に増えることになる）、二番目に多いのが六五～六九歳というような状況となる。その二〇年後の二〇六〇年になると、八五歳以上人口だけが一〇〇〇万人超で、四五～八四歳はどの五歳刻み年齢階層も五〇〇万～六〇〇万人と大差ない状態になるという。さらにその先の二〇七〇年ともなると八五歳以上の絶対数も大きく減ることが期待されるので、際限なく続くかもしれない少子化に比べれば、高齢化は時間が解決する問題であるとも言えるのだが、それにしても解決する頃にはこの本を読んでいるほとんどの方が亡くなっている、あるいは超後期高齢者としてからくもご存命であるというようなことになっているだろう。

この人口予測の話を持ち出すと、機械的に、日本の将来に対する悲観論者と受け取られるようだ。二〇一二年には英国エコノミスト誌の将来予測が話題になったが、これによれば二〇五〇年の日本のＧＤＰは現在の世界第三位から、韓国にも抜かれてブラジルやロシアと同程度となるという。この評価は、今後の韓国やロシアの日本以上の急速な人口減少をどこまで盛り込んでいるのかたいへん怪しいものだが、いずれにせよマネー資本主義の枠組みの範囲内で、その基準だけで下されたものである。

これに対して筆者は、「社会が高齢化するから日本は衰える」といった議論にはまったく賛成していない。むしろ、先にも触れた二〇六〇年の日本については、およそ思いつく限りの困難を想定した上で楽観したシナリオを持っている。

これまで人類が経験したことのない超高齢化社会のトップランナーであり、マネー資本主義を徹底的に突き進んでその限界を自覚しつつある日本だからこそ、里山資本主義的な要素を取り込むことで、「明るい高齢化」の道を進んでいけると思っているのだ。

里山資本主義は「健康寿命」を延ばし、明るい高齢化社会を生み出す

根拠の第一は、既に世界トップクラスである日本の「健康寿命」（心身とも健康である年数）が、里山資本主義の普及でさらに上昇すると考えられることだ。日本は平均寿命も世界トップクラスだ。これが、日本経済が「衰退しているかのように言われるけれども実は高位安定している」証拠であることも既に述べた。

日本の高齢化率（六五歳以上人口÷総人口）は二三％を超えており、たとえば米国の二倍程度の水準だが、国民一人当たりの医療費は現時点でもアメリカのほうが高い。そもそも一人

当たりの医療費は、平均寿命の長さとは連動しない。車で移動し脂肪分の多い食事を大量に取る米国人は、比較的若いうちから多くが生活習慣病を患ううえ、平均寿命も日本人より四年程度短いが、日本よりも医療にはお金がかかっている。そのうえ米国のように、医療保険制度も完全にマネー資本主義の世界での競争に任せたほうがうまくいくと信じ込むと、このように実際には効率がとても悪い結果になったりする。

とはいえ、日本全国どこでも優等生かと言えば、地域差はかなり大きい。たとえば多年健康長寿の県として知られてきた沖縄県は、近年は男性の平均寿命が全国の都道府県の中でも下半分に属するところまで低下し、高齢者一人当たりの医療費も年々増えている。占領下で米国流の食生活が浸透し、かつ戦前にはあった鉄道が再建されないまま車社会となってしまったために歩く習慣が失われ、健康寿命も落ちてしまっているのだ。

他方で男性の平均寿命が一番長いのは長野県だが、ここは高齢者一人当たりの医療費も全国最低水準だ。実際問題として医療費は、小さな病気をするくらいのことでは大して増えない。生きるか死ぬかギリギリな状態で入退院を繰り返すと跳ね上がるのだが、この県では戦後早くから、家庭にまで出向いて食生活など生活習慣の改善を指導し、大きな生活習慣病を防ぐ「予防医療」が取り組まれてきた。

加えて、長野県が日本有数の里山の県であるということも無視できないのではないかと筆者は思っている。もちろん長野周辺や松本周辺などの都市部は、平地に乏しい割にはすっかり車社会になってしまっている感があるが、高齢者が多く住む山村部分では、土に触れながら良質な水を飲み清浄な空気を吸って暮らし、自宅周辺で取れる野菜を活《い》かした食物繊維の多い食事を摂《と》る暮らしが続いている。生活の中に、普通に自然との触れ合いが取り込まれている。

もし日本全国が長野県並みのパフォーマンスになるだけで、高齢者の増加による医療福祉の負担増は、かなりのところまで抑えることができる。しかも今後の里山資本主義の普及は、長野の山村で営まれているような暮らしを送る人を、確実に増やしていくだろう。

田舎に移住せずとも道はある。たとえば大都市周辺部の団地では空き家が増えるばかりだ。現在はそこを自分で購入した世代が存命なので、彼らは一生をかけて購《あがな》った場所を、安価で手放すことはどうしても受け入れられないだろう。しかしそこに住んでいない相続人の世代となれば、住宅としての使用をあきらめ、底地を周囲の住人の家庭用菜園として貸す動きが必ずや広まっていく。

群馬県安中《あんなか》市の長野新幹線（北陸新幹線）安中榛名《はるな》駅前の高原に、ＪＲ東日本の分譲する住宅団地「びゅうヴェルジェ安中榛名」がある。ここは開発当初は首都圏に新幹線通勤する層による購入を想定していたのだが、首都圏での地価下落でそうした需要は見込めなくなっ

二区画を一戸分として販売した「びゅうヴェルジェ安中榛名」

広い庭を魅力に人を惹きつけている

てしまった。そこで柔軟に発想を転換し、二区画を一戸分として販売、家庭菜園やガーデニングを楽しみたい層を引き付けて、ほぼ完売状態を達成している。

地権者が地価の低下さえ受け入れられれば、同じようなことが大都市圏郊外のあちらこちらで起きていくということだ。これは里山資本主義の、大都市圏への逆侵入である。

里山資本主義は「金銭換算できない価値」を生み、明るい高齢化社会を生み出す

日本が「明るい高齢化社会」への道を進んでいけると考える根拠の第二は、里山資本主義の普及に伴って、今後ますます、金銭換算できない価値を生み出し地域内で循環させる高齢者が増えていくだろうということだ。

金銭換算できない価値を生み出す？　地域内で循環させる？　抽象的過ぎて何のことかわからないかもしれない。たとえば庄原《しょうばら》の高齢者福祉施設を思い出してもらいたい。地域の高齢者の生産する半端すぎて市場に出せない農産物を、地域の高齢者福祉施設が食材として使う。そこで出た廃棄食材を肥料にして、高齢農民に還元する。一部では金銭のやり取りも介するが、そこで循環している価値全体からみればごく一部に過ぎない。生産者の生きがいの増加、施設の利用者の健康の増進、結果としていらなくなった食材代や肥料代、それを運ぶはずだった燃料代。いずれも金銭換算できない価値、あるいはＧＤＰにとってはマイナスだ

が現実には意味のある価値であり、それらが地域内を循環しながら輪を拡大させている。

これはほんの一例で、元気な高齢者が先に衰えた高齢者を介護するＮＰＯ、公共スペースに花壇を作る老人会、小学生の通学時に道路横断などを助けるボランティアのお年寄り、幼稚園や放課後の小学校などで子どもに遊びを教えるおじいさんなど、金銭換算できない価値を生み出し、増殖させている高齢者は全国に無数にいる。

自分が食べるために畑を耕す高齢者も、その分店で食材を買わなくなるわけだからＧＤＰにはマイナスかもしれないが、土に触れて働くことで元気になり、余った野菜などをおすそ分けすることで回りとの絆が生まれ、というように、やはり金銭換算できない価値の循環がその周りに生まれる。

高齢者の絶対数のさらなる増加に伴い、そうした方々の数がこれからさらに増えていくことは確実だ。もちろん元気に働いてお金を稼いで使う高齢者も増えていっていただいていいのだが、お金を稼がずとも社会的な価値を生み出す高齢者も、もっと評価されていい。

おわりに――里山資本主義の爽やかな風が吹き抜ける、二〇六〇年の日本

（藻谷浩介）

二〇六〇年の明るい未来

里山資本主義の普及によって、出生数の際限ない減少をどこかで食い止めることができ、当面の高齢者の増加にも顕著なコスト増なしで対応できたとすると、二〇六〇年の日本は八〇歳以下の各世代の数が大きく違わない、安定度の高い社会に生まれ変わっている。総人口は八〇〇〇万人台にまで減っているかもしれないし、金銭換算できない価値の循環の拡大がGDPを下げているかもしれないが、実際の社会にはさまざまな面で明るい光が差していることだろう。

まず、世界的には逼迫《ひっぱく》が予想される食糧需給に関しても、二〇六〇年の日本では自給率が大幅に上昇しているに違いない。輸入分を輸出分で相殺して計算すれば一〇〇％ということも十分にあり得る。そもそも日本は温暖な気候、豊富な降水量、肥沃《ひよく》な土壌に恵まれた農業

適地だが、戦後に人口が八割増する中で、多くの農地を都市開発して建物の下に埋めて来た。しかし今後の人口減少によって、それらの農地を不要になった建物の下から復活させることができる。しかも家庭菜園の増加や田舎への移住者による耕作放棄地の利用促進で、市場には出回らず金銭換算もされないが、実際には有効に消費される農産物も増えていくだろう。

燃料需給に関しても、建材としての国産木材（を使った集成材）の利用が進むことにより、副産物としての木質バイオマス燃料が安価で出回って、オーストリアのようにエネルギー自給率が大きく高まっていくことになる。太陽エネルギーや地熱などのその他の自然エネルギーに関しても、人口が減れば減るほど一人当たり利用可能なカロリー量は増えるわけで、メタンハイドレードなどの実用化がなくとも、社会の安定性は大きく高まっていくことだろう。

それもこれも、降水量と土壌と地熱に恵まれた、火山国日本ならではの自然の恩恵だ。日本は、造山運動の盛んな火山国であるがゆえに脊梁《せきりょう》山脈が余り浸食されずに標高高く保たれていて、そこに季節風がぶつかるために多量の雨や雪がもたらされる。火山国ゆえのミネラル分の多い土壌が、作物の恵みをもたらす。地震国であることの対価として、恩恵も多いのである。

二〇六〇年には大規模天災時の安全性も増している。何かあったときに土砂が崩れてくる可能性がある場所、水に浸される可能性のある場所から、人口減少に伴って住居を撤退させて行けるからだ。戦後に人口が八割も増えてきた中、多くの湿地や傾斜地を住宅地として開発してきたが、人口が大幅な縮小に向かう今後は、生まれ育った場所から移動したくない高齢者の方々が順に亡くなって行くのに合わせ、戦後の造成地の中の天災に弱い部分をゆっくりと湿地や山林に戻していくことが可能になる。

巨大な堤防を建設する資金があれば、リスクのある新開発地から、昔から人が住んでいる安全な場所へと、人間を移していくことに投じた方が有効な使い方だ、という認識も徐々に広まっていくことだろう。加えて、人口が過度に集中している大都市圏から田舎への人の逆流が半世紀も続けば、生活の場のすぐ横に水と緑と田畑のある人口はもっと多くなる。マネー資本主義のシステムが一時停止しても、しばらくは持ちこたえることができる人の比率がはるかに高くなっていることも期待できる。

国債残高も目に見えて減らしていくことが可能になる

政府の膨大な借金はどうなっているのだろうか。「国債の新規発行は借り替えに必要な分に限る」というルールを確立し、何とか残高がこれ以上増えない状態まで持ち込むことができたとしたら。慎重に過度のインフレを回避し、退職高齢者がなけなしの貯金を失うことなく亡くなっていくという状況を続けることができたら。その先二〇六〇年の状況はどうなるだろうか。

実は、国債償還のツケがすべて若い世代に回ることにはならない、と予想される。なぜなら今六五歳を越えつつある昭和二〇年代前半生まれ（一九四〇年代後半生まれ）が一〇〇〇万人を超えるのに対し、今の〇～四歳は五〇〇万人しかいないからだ。数の多い高齢世代が蓄えたものが、長い時間をかけて相続などの形で数の少ない若い世代にゆきわたっていくプロセスを利用して、国債残高を目に見えて減らしていくことが可能になる。

使い切れないほどの額を残す富裕層への相続税の強化もあろうし、少子化の結果、子孫のいない日本人がどんどん増えていることを活《い》かして、相続人のいない財産を国庫に入れる仕組みにするということもできるだろう。まずは機械的、数理的に、高齢者が持つ貯蓄のどの程度を国債償還に回していくのか外枠を計算し、それに応じて具体的な制度設計を組み合わせてゆけばよい。

そもそも人口減少社会は、一人一人の価値が相対的に高くなる社会だ。障害者も高齢者も、できる限りの労働で社会参加し、金銭換算できる・あるいは金銭換算できない価値を生み出して、金銭換算できる・あるいは金銭換算できない対価を受け取ることが普通にできるようになる社会でもある。

機械化・自動化が進み、生産力が維持される中での人口減少は、人間一人一人の生存と自己実現をより容易に、当たり前にしていく。増えすぎた人口をいったん減らした後に一定水準で安定させていくことこそ、地球という限られた入れ物から出られない人類が、自然と共生しつつ生き延びていくための、最も合理的で明るい道筋なのだ。

未来は、もう、里山の麓から始まっている

二〇六〇年まで半世紀ある。五〇年という月日は時代が大きく変わるのに十分な時間だ。黒船来航騒動直後の一八五五年に、一九〇五年に日本がロシアに戦争で勝つことを誰が予想しただろうか。泥沼の戦争に深入りしつつあった一九四〇年に、誰が平和な経済大国としてバブルを謳歌《おうか》する一九九〇年の日本を想像できただろうか。工業化の進展の中で海も川も大気もどんどん汚染されていた一九六〇年に、空気も澄み多摩川に鮎《あゆ》が遡上《そじょう》するようになった二〇一〇年の東京を誰が思い描いただろうか。

今から半世紀が過ぎる頃には、社会全体が抱くヴィジョン自体が大きく変わるし、社会に本当に必要なことも、それを担う主体も変わる。

問題は、旧来型の企業や政治やマスコミや諸団体が、それを担ってきた中高年男性が、新しい時代に踏み出す勇気を持たないことだ。古いヴィジョンに縛られ、もはや必要性の乏しいことを惰性で続け、新しい担い手の活力を受け入れることもできないことだ。しかし年月

はやがて、消えるべきものを消し去り、新しい時代をこの島国の上にも構築していく。結局未来は、若者の手の中にある。先に消え行く世代は誰も、それを否定し去ることができない。

里山資本主義は、マネー資本主義の生む歪《ひず》みを補うサブシステムとして、そして非常時にはマネー資本主義に代わって表に立つバックアップシステムとして、日本とそして世界の脆《ぜい》弱《じゃく》性を補完し、人類の生き残る道を示していく。

爽《さわ》やかな風の吹き抜ける未来は、もう、一度は忘れ去られた里山の麓《ふもと》から始まっている。

あとがき

筆者の本業は、全国津々浦々での講演や面談を通じて、地域振興関係者や企業へアドバイス、コンサルティングを行うことだ。講演資料を必ず相手先にカスタマイズして作るという方針のため、執筆に時間を割くことが出来ず、数多《あまた》の出版企画をお断りしてきた。数少ない著作は、一冊を除いて雑誌への寄稿や連載、あるいは特定の場での対談を書籍化したものだ。

そのような筆者の、唯一の書き下ろし作品が『デフレの正体』（二〇一〇年、角川oneテーマ21）だ。角川書店の編集者である岸山征寛氏の数年越しの説得と督促がなければ到底世に出ることはなかった本だが、ありがたいことに多くの方に読んでいただいている。何よりも、同書を読んで認識を刷新し、あるいは戦略を修正された個人や企業が多くおられたことが、筆者の誇りともなっている。

しかし同書に対して、局所的かつ的外れな批判を展開する向きも、残念ながら多かった。客観的な事実を指摘しているのに、「筆者の主張は」と主観的な意見を述べているように書かれることの多さにも辟易《へきえき》した。同書以降、出版から遠ざかっていたのは「残念ながら活字だけでは、論理的な話はなかなか伝わらない」という思いが強まったことが最大の理由である。

この間、岸山氏は「一つ売れたのを機会に、売らんかなが先に立つ類似企画を次々打ち出す」ようなことは一切せず、筆者を静観していた。これは、彼への信頼を高めた。

＊　＊　＊

この『里山資本主義』は、筆者にとっては三年ぶり二冊目の書き下ろしである。一〇書いてから四削るという悪い癖もあり、執筆には分量以上の苦行を要したが、その分、対談本とは異なる情報密度と独創性を持つものになったと自負している。

重い腰を上げた理由は二つある。一つは、NHK広島放送局の井上恭介プロデューサーの熱意に応えねばならない、という義務感だ。彼は「里山資本主義」という語の生みの親だ。彼は、その中身と意義を具体的に掘り下げるドキュメンタリーシリーズ（中国五県限定放映。狂言回しとして、私も毎回出演させていただいた）を制作したが、映像作品だけでなく、きちんと文字になって残る情報も全国に問わねばならないという強い使命感を抱いていた。同僚の夜久ディレクターともども、激務の中で執筆時間を工面し、取材した内容を文字化しようと取り組む姿には、頭が下がった。

だが、幾多の出版企画を立ち消えにしてしまった前科者である筆者の作業は、それだけでは前に進まなかっただろう。しかるに、商業主義的な動機だけでは決して動くことのない前記岸山氏が、井上プロデューサーの持ち込んだ企画内容と原稿を評価し、『デフレの正体』以来、久々に私の執筆参加を求めて来た。この本の内容をきちんと世に問うべきだという使命感を、井上氏と岸山氏が共有したという事実が、私にショックを与えた。

論説を書くこととは、できる限り掘り下げて考えることだ。既に考えていたことを講演で話すのとは訳が違う。そういう辛い作業に着手するのは率直に言って嫌だったが、意を決して書かざるを得ないところに追い込まれた。だから井上氏、夜久氏、岸山氏、いずれを欠いてもこの本が成立することはなかった。幾ら感謝しても過ぎることはない。

五〇年後の誰かが筆者の論考を目に留めて、「五〇年前にすでにこれを論じていた人がいたのか」「今の世では当たり前になっている話も、五〇年前にはこのように熱意を込めて書かないといけないほど、受け入れられにくいものだったのか」と評価をいただくこと。僭越《せんえつ》を極めているようだが、これが筆者の心からの目標だ。なかなか達成困難な野望ではあるが、せめて五年で賞味期限が来るような論考を出さないよう、それどころか五ヶ月後には見向きもされないようなテーマに飛びつかないよう、自戒せねばならない。

『里山資本主義』は、『デフレの正体』に引き続き、いや『デフレの正体』以上に、これから時間をかけて世界各地で大河になっていくべき、しかしながらまだ細々とした流れに注ぐ、ささやかな一滴であると確信している。マネー資本主義だけで世の中は回るものだという集団幻想に対し、現時点でささやかな異議を唱えること自体に、大きな意義がある。井上氏、夜久氏、岸山氏、いずれもそうした思いを共有していることだろう。読者諸賢も、この論考の遠い先にあるものに、どうか思いを馳《は》せていただきたい。

マネー資本主義への信仰が、
一瞬ではあろうが日本を覆い尽くしたようにも見える年の五月に

藻谷　浩介

本書は「フェイスグランデ　里山資本主義」をもとに取材を進めて書き下ろしたものです。
本文中に登場する方々の肩書きと年齢は、いずれも取材ないし執筆時のものです。

図版作成　ＲＥＰＬＡＹ

藻谷浩介（もたに・こうすけ）
1964年、山口県生まれ。株式会社日本総合研究所調査部主席研究員。株式会社日本政策投資銀行特任顧問。著書『デフレの正体』（角川oneテーマ21）は50万部のベストセラーとなり、生産年齢人口という言葉を定着させ、社会に人口動態の影響を周知させた。他に『実測！ニッポンの地域力』（日本経済新聞出版社）がある。

ＮＨＫ広島取材班（日本放送協会広島放送局）
藻谷浩介とタッグを組んで「里山資本主義」という言葉を作り、1年半にわたって取材・制作を展開。
井上恭介：報道番組チーフ・プロデューサー。リーマンショック前からモンスター化する世界経済の最前線を取材指揮。「マネー資本主義」を制作。
夜久恭裕：報道番組ディレクター。医療・教育・戦争まで幅広く調査報道を手がける。著書に『原爆投下　黙殺された極秘情報』（NHK出版）がある。

里《さと》山《やま》資《し》本《ほん》主《しゅ》義《ぎ》
――日本経済《にほんけいざい》は「安心《あんしん》の原理《げんり》」で動《うご》く

藻谷浩介《もたにこうすけ》　ＮＨＫ広島取材班《ひろしましゅざいはん》

2013年 7 月10日　初版発行
2013年11月 5 日　6 版発行

発行者　山下直久
発行所　株式会社KADOKAWA
東京都千代田区富士見2-13-3　〒102-8177
電話　03-3238-8521（営業）
http://www.kadokawa.co.jp/

編　集　角川書店
東京都千代田区富士見1-8-19　〒102-8078
電話　03-3238-8555（編集部）

装丁者　緒方修一（ラーフイン・ワークショップ）
印刷所　暁印刷
製本所　BBC

角川oneテーマ21　C-249

ISBN978-4-04-110512-2 C0233

角川oneテーマ21

A-75
戦後日本は戦争をしてきた
姜 尚中
小森陽一
日本は一度として「平和国家」だったことはない！ 誰も語らなかった「日本の戦争」が、いまここに明かされる。論客による知恵と情熱が交錯する白熱の対談！

A-81
逆接の民主主義
——格闘する思想
大澤真幸
先の見えない時代は、一体いつまで続くのだろうか？ 気鋭の社会学者が、日本をやり直す逆接の提言を示す！ この国が抱える難題は解決できる！

A-97
正社員が没落する
——「貧困スパイラル」を止めろ！
堤 未果
湯浅 誠
「まさか自分がこんな境遇に墜ちるとは！」 貧困に墜ちた時、みな口を揃えていう言葉だ。誰も語らなかった「中間層の貧困化」、その事実が明かされる！

A-141
人はなぜ「神」を拝むのか？
中村圭志
「信じない人」もなぜ祈るのか？ 神も仏もないと憤るのか？ "宗教は腐れ縁"という見方から入る、「信じない」人も知っておきたい、知識ゼロからの宗教学。

A-156
帝国の時代をどう生きるか
——知識を教養へ、教養を叡智へ
佐藤 優
現下、世界は新・帝国主義体制である。厳しいこの世界をどう生きればよいのか？ 現場で使える「頭」と「眼」を佐藤優が鍛える。二歩、三歩、時代の先を読め!!

C-188
デフレの正体
——経済は「人口の波」で動く
藻谷浩介
「景気さえ良くなれば日本経済は回復する」。この妄想が日本をダメにした！ 最強の地域エコノミストが現実を示す。日本最大の問題は「二千年に一度の人口の波」だ!!

C-218
「日本」の売り方
——協創力が市場を制す
保井俊之
モノが売れない、内需も外需も。いや、売るものを間違えているだけなのだ！ もはや外国にお手本はない。日本が真に生きる道を、豊富な実例を基に示す！